C000219075

Ciudades del norte de África

–36–

Libros del buen andar

ANTONIO FUSTER

CIUDADES DEL NORTE DE ÁFRICA

Ediciones del Serbal

Primera edición: 1994

Guitard, 45 - 08014 Barcelona

Impreso en España
Depósito legal: B. 29857/94
Maqueta: Marina Vilageliu
Impresión y encuadernación: Grafos S.A. - Arte sobre papel
ISBN 84-7628-132-3

SUMARIO

ÁMBITO MEDITERRÁNEO

La humanidad es ciudadana. O urbanita, como se ha dado en llamar ahora a todos aquellos seres humanos que consideran la ciudad como su hábitat natural. Aun quienes amamos los espacios abiertos, los grandes conjuntos paisajísticos, lo que la pura Naturaleza sin intervención del hombre es capaz de entregar,no podemos negar que la ciudad es el reducto donde se concentran todos los logros tanto espirituales como materiales de todas las civilizaciones que alguna vez dejaron sus huellas sobre la Tierra. Desde la ciudad se ordena la vida política, se fundamenta la sociedad, crecen las religiones, se alimentan las artes y se impulsa la economía. Es más: en muchos sentidos la ciudad es la huella más perenne que dejan tras de sí esas civilizaciones. No es posible seguir los rastros de culturas anteriores a la nuestra ni entender sus mensajes sin estudiar los vestigios ciudadanos que nos alcanzan desde el pasado. La investigación de los ámbitos urbanos es imprescindible para comprender la Historia.

Pero esa investigación, que muy bien podría servirme para justificar las páginas que siguen, no es el objeto de este libro.

Tal como yo lo percibo, el Norte de África –y especialmente sus ciudades– es una caja de sorpresas para el viajero occidental. Es inconcebible el modo en que varían las costumbres, los alimentos, las vestimentas y hasta los paisajes a uno y otro lado de este minúsculo mar interior que llamamos Mediterráneo. Son dos mundos contrapuestos, pero situados a tiro de piedra. Y eso dificulta sensiblemente las posibilidades de entender algo de lo que allí ocurre para ese viajero.

Y créame que lo entiendo.

Durante más de veinte años he recorrido incansablemente las orillas mediterráneas. Durante más de veinte años me he maravillado con las manifestaciones de todo tipo que este ridículamente pequeño charco azul es capaz de congregar. Y durante más de veinte años he intentado complementar aquello que me aportaban mis sentidos físicos en cada una de mis visitas con lecturas apasionadas y apasionantes que intentaban explicarme los porqués de todo lo que había visto. Y tengo que confesar que todavía me queda mucho por comprender.

Pues bien, este libro intenta seguir el camino contrario al de mi propia experiencia. Quiere ser invitación para el viaje desde la lectura. Pretende explicar para incitar a la visita. Y sobre todo aspira a sugerir respuestas para preguntas todavía no formuladas.

◄ 1. Hammanet. Casas blancas cayendo al mar.

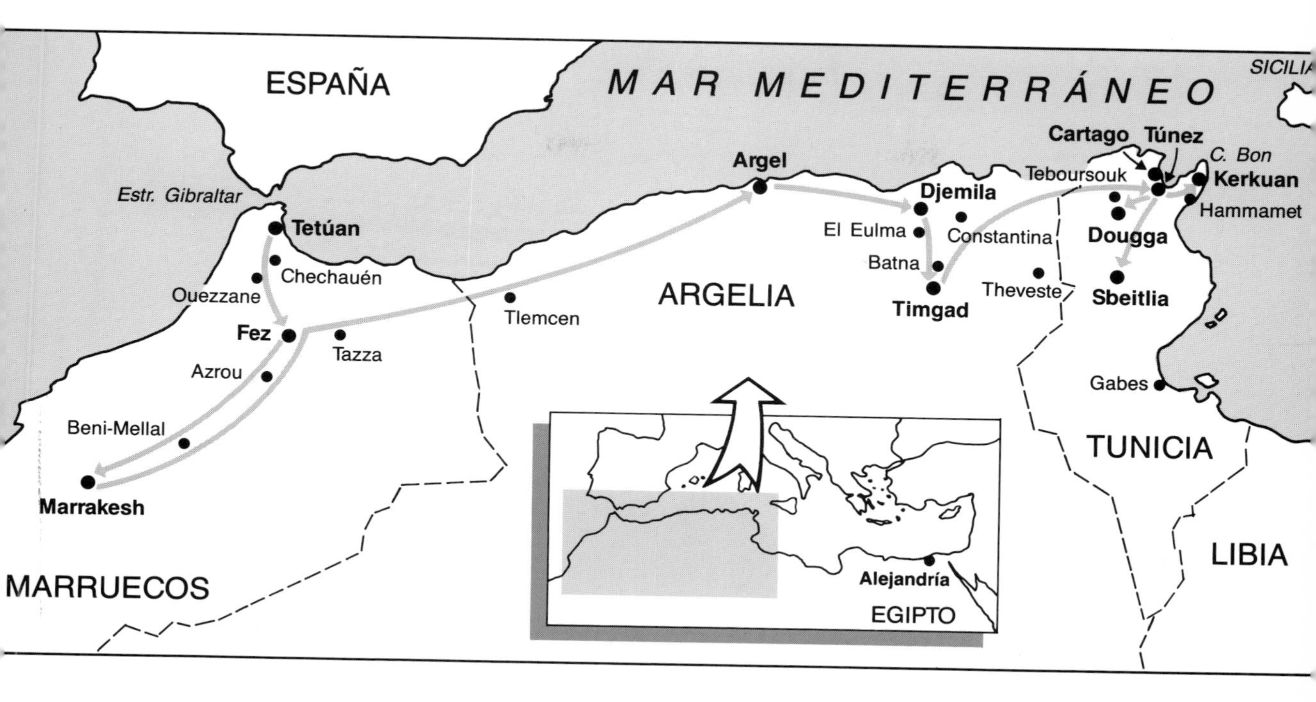

Los textos sobre las ciudades que siguen no se estructuran como guías de visita, pero tampoco como sesudos informes históricos. No se circunscriben al entorno ciudadano, porque la ciudad queda incrustada en un ambiente natural determinado, y sin conocer éste, no puede entenderse aquélla. Busca la conexión entre las distintas urbes como si de un itinerario ideal se tratara, un itinerario que las fuera descubriendo una a una, un itinerario posible para quien quiera intentarlo porque ha sido realizado por mí mismo en automóvil.

Finalmente, en estas páginas se encuentran multitud de datos pensados para facilitarle la visita cuando usted se decida a ir allí. Pero permítame decirle que si lo único que obtiene de ellas es eso: datos, fríos datos, me sentiré terriblemente defraudado conmigo mismo. Porque no habré sabido transmitirle lo fundamental que pretendo entregarle: mis propios sentimientos hacia esta docena de joyas urbanas que adornan el extremo septentrional del continente africano. Y sería una lástima.

Incluso el material gráfico que ilustra el texto intenta ser más espejo de lo que mis ojos vieron y sintieron ante cada una de esas ciudades, que puro alarde artístico o compañía muda para aligerar el peso de las letras. Todas esas fotografías quieren contar con imágenes la misma historia que cuentan las palabras, porque fueron obtenidas por mí en el estado de ánimo que me producía cada una de las visitas.

No soy yo quien debe valorar si este conjunto de buenos propósitos ha sido conseguido o no. Pero sí sé que a mí me hubiera gustado, hace más de veinte años, leer un libro con las características del que he intentado escribir; cuando empecé a conocer el Norte de África; cuando todavía no sabía todo lo que iba a llegar a amar a estas tierras, a estas gentes, a estas ciudades...

TETUÁN

Resulta reconfortante que, apenas cruzado el Estrecho de Gibraltar, el ambiente del sur de España no se modifique sensiblemente, que todo sea como una continuidad de lo visto en los pueblos blancos meridionales de la Península, como una extensión de sus campos de olivos, de sus gentes desocupadas y afables, de su clima bonancible. El viajero europeo precisa transición, sosiego para asimilar lo que África le ofrecerá, y esa transición, ese sosiego, se lo otorga la vertiente mediterránea del Rif.

En realidad, el Rif no es más que la continuación estricta de las últimas estribaciones montañosas españolas. Sierra Nevada se extiende buscando África en una media luna que ya anuncia su vocación, su credo, la civilización que le es más preciada. Geografía y cultura se unen aquí para hacer historia. Y, si no hubiera sido por la mano poderosa de Heracles, permitiendo la invasión tumultuosa del Gran Océano al recinto menudo del Mediterráneo, la vieja afirmación de que Europa comienza en los Pirineos no tendría contestación: Iberia sería africana, no sólo porque ningún accidente de su morfología física impediría que eso fuera cierto, sino porque la correlación simbiótica que ya se produce entre los habitantes de uno y otro lado del canal no estaría matizada por la separación que el viento violento del Levante y las corrientes poderosas que van y vienen entre los dos mares producen.

Se dirá que en tiempos de los que el Tiempo ha perdido la memoria el hundimiento de un profundo valle produjo la reunión de las aguas atlánticas con las mediterráneas. Y seguro que así debió ser. Pero la imagen del semidiós griego, cubierto por la sangrante piel del león de Nemea, blandiendo su maza de matador de monstruos y apartando con su poderoso brazo las montañas de Calpe y Abila –Monte Hacho y Gibraltar, según la terminología actual– resulta mucho más sugerente como alimento de nuestra capacidad de evocación, como nutriente indispensable de las posibilidades que pueblan nuestra mente para imaginar mundos sólo presentes en los sueños, que todas las explicaciones que la ciencia pueda aportar.

Pero el Rif, la cadena montañosa que se extiende a lo largo de más de 350 kilómetros a lo largo de la cresta de África, buscando su perdido vínculo con Europa, es tan contradictorio como los habitantes que pueblan ambos lados del Estrecho. Y, en eso, la transición que anhela el viajero se da, la continuidad de lugares comunes a que aferrarse se produce. El nivel más bajo, el más humano, el de suaves lomas, redondeados matices, praderas onduladas que parecen no querer terminar nunca, está habitado por hombres y mujeres cuya distancia con los andaluces sólo establece la palabra que usan y el vestido que les cubre.

2. Puerta de acceso a la Medina.

El nivel alto, las cumbres kársticas, atormentadas, de piedras descompuestas e inaccesibles, contiene, sin embargo, el germen de la diferenciación. Cuantas veces invasores procedentes de cualquiera de los puntos cardinales que convergen en el Rif han intentado someter esta región, encontraron que la fiereza de los rifeños, el ahínco con que defendían sus altozanos, sus poco pródigas tierras, no guardaba relación con la placidez, la paz infinita, que sugiere el paisaje redondo cercano al mar.

Franceses, británicos, españoles, y, antes que ellos, los vándalos, y antes los romanos, descubrieron que los bereberes del Rif eran algo más que guerreros valerosos: eran seres humanos tan fundidos con las piedras de sus montañas como los lagartos que las habitan o el matorral invencible que les roba el uniforme gris que las cubre.

Los relatos de míticos caudillos son una constante entre los pueblos bereberes de las montañas rifeñas. Es como si la imposibilidad manifiesta de esta raza, sojuzgada por la potencia árabe en todo el Magreb, para unirse en una sola nación, en un único soporte político, se tradujera en la práctica en la necesidad de recobrar su ilusión de pueblo libre a través de la exaltación de mitos recientes. El alto Rif es uno de los últimos reductos donde aún se conserva el mundo bereber en estado puro, con sus tradiciones, su cultura, su lengua, su vestimenta y su habitación, su modo peculiar de ser hombres libres.

Y el paradigma bereber, el guerrero que encarna todas las virtudes de luchador impenitente que caracteriza a los habitantes de las montañas, es Abd-el-Krim.

El caid de la tribu rifeña de los Beni Uryagil, de sonrisa torcida y permanente turbante calado por encima de las orejas, al estilo bereber, durante un tiempo colaboró a regañadientes con los dominadores españoles del norte de África. Pero en 1921 decidió romper con los colonizadores y, agrupando varias tribus montañesas bajo su mandato, proclamó la guerra santa, la *Jihad*, contra el invasor.

Ardió el Rif, levantado en armas. Las huestes de Abd-el-Krim sembraron algo más que bajas entre las tropas españolas. El terror se apoderaba de todos sólo con oír su nombre. En la memoria de los pueblos suelen quedar nombres malditos, y, para los españoles, el del caudillo bereber es uno de ellos. Derrotó al cándido general Silvestre en la batalla de Anual. La población civil del otro lado del Estrecho asistió conmocionada a la crueldad obsesiva de los rifeños. Pero no podía ser de otra manera: los pueblos más pacíficos, como los animales menos agresivos, cuando descubren el sendero de la violencia lo recorren hasta el final, lo apuran completo.

Luego el caid volvió su mirada hacia el sur, hacia Fez, allí donde los franceses dominaban. Y eso ya fue demasiado para los gobiernos europeos. Francia y España unieron sus voluntades como pocas veces registra la Historia que ambos paises lo hicieran, y organizaron un ejército insoportable para Abd-el-Krim. Desembarcaron en Alhucemas y destruyeron las escasamente pertrechadas huestes rifeñas. El caudillo se rindió, fue deportado a las Islas Reunión, y, en el viaje de regreso a Francia, se fugó hacia el Egipto de Faruk, desde donde dirigió hasta su muerte, acaecida en 1963, la resistencia magrebí contra el invasor francés.

Su memoria, sin embargo, permanece viva en el talante de los altaneros bereberes del Rif. Y, especialmente, en la memoria de la ciudad que aparece como capital de toda esta región del Marruecos actual, precisamente la ciudad que había sido botín de la victoria española: Tetuán.

Situada sobre las laderas del Djebel Dersa, en la rendición frente al Mediterráneo del Rif, allí donde el Oued Martil corta a cuchillo los contrafuertes calcáreos que debían prolongar las serranías andaluzas, Tetuán es –entre rifeños y españoles– esa transición de la que hablaba, el lugar que requiere el viajero cuando llega desde Europa pretendiendo descubrir África. La ciudad es preludio y recuerdo.

Antesala de todo lo que está por venir, del mundo desconcertante de la ciudad árabe, con sus callejas empinadas, retorcidas, siempre buscando una luz que no comparece, entretenida en el Souk, en el conjunto de su Medina, en la vigilante Kasbah que la corona, en la cinta de inoperantes murallas que abrazan sus apretadas casas. Y también blancura andaluza, rejas de hierro forjado, inscripciones y edificios que devuelven el último paisaje europeo. Andalucía en el Rif. España en Marruecos. Europa en África ¿O es al revés?

En su solar se asentaron los colonos romanos y llamaron a su fundación Tamuda. Luego fueron los godos en su impetuoso avance desde el norte quienes sintieron que su fachada mediterránea era un excelente punto donde asentarse. El siglo octavo trajo los vientos del este, los árabes, que llamaron a toda esta zona Magreb, Occidente, porque tal era para ellos la situación de las nuevas tierras conquistadas, y, sin saberlo, estaban otorgándole una distinción que el tiempo se encargaría de matizar.

Pero las tribulaciones para Tetuán no habían hecho más que empezar. La tragedia de las ciudades está implícita en sus emplazamientos, y el de Tetuán era inmejorable. Su situación en la ladera del Dersa ofrecía un excelente control de los accesos marítimos entre los dos continentes vecinos. El Oued Martil entregaba gratuitamente un doble regalo a la ciudad: la promesa del riego permanente, resuelto en predecibles huertas donde el olivo y el naranjo encuentran su líquido alimento, y cobijo de los navegantes que, tras sufrir los malhumorados embates del Estrecho doblaban el Cabo Negro, o de aquellos que se preparaban para batirse en inferioridad de condiciones con el entrechocar de los dos mares. Finalmente, la retaguardia quedaba protegida por el impenetrable Rif y su letanía de cumbres grises e inaccesibles para todo aquel que no perteneciera a ellas.

De este modo, merced a su posición adelantada, prosperó Tetuán. Los bereberes llamaban a la zona donde se asienta la ciudad «Tittawin», es decir, los manantiales. Y sus fuentes de agua clara, el agua tumultuosa del Martil, el olor del Agua Grande –agua mediterránea–, cercana, fueron los desencadenantes de su progreso y, acumulando contradicciones, de su desgracia.

Hablar de la fundación de Tetuán es intentar un absurdo. Un espacio natural tan privilegiado como el que ocupa la ciudad no puede ser reducido a un acto de fundación. Sus primeros habitantes debieron ser negroides llegados de las tierras del sur. Pero su carácter definitivo, su estatuto de ciudad auténtica la obtuvo cuando Idriss III la citó como herencia otorgada a su hijo Kassim.

3. El duro trabajo de curtido de las pieles. ►
4. Barrio de los curtidores.

5. Conjunto de la Medina desde la terraza de un establecimiento de artesanos de Tetuán. ►►
6. Aspecto cubista de las edificaciones.

Y ahí comenzó su infortunio: Por dos veces fue completamente arrasada y sus habitantes muertos, de tal forma que, hacia el siglo XII, quedó reducida a una aldea desmañada que sobrevivía de los exiguos rendimientos de la agricultura. Y, quizás, todo hubiera seguido así si un sultán merinida, de nombre Yusuf, no hubiera visto en su emplazamiento el lugar idóneo para instalar una alcazaba desde donde dominar los pasos hacia el Mediterráneo, en 1286.

La ciudad se reedificó totalmente. Pero su golpe de suerte llegó, ¡ya ven!, del punto final de la reconquista española. La destrucción de la delicada cultura granadina llevada a cabo por los Reyes Católicos, provocó una avalancha de inmigrantes judíos y musulmanes hacia el Norte de África. El boomerang de la Historia regresaba lo que un día se llevó. La cultura y la prosperidad llenaban las rampas empinadas de Tetuán, junto con la nostalgia y la rabia de quienes todo lo dejaron al otro lado del Estrecho.

Y puede que este último sentimiento, o puede que la propia situación geográfica de Tetuán, provocaran que, en poco tiempo, que la ciudad se convirtiera en refugio permanente de corsarios, al acecho de los barcos que atravesaban Gibraltar abarrotados de preciadas mercancías procedentes de las colonias de ultramar.

Tetuán prosperaba económica e intelectualmente. Los sultanes de Fez se la disputaban. Desde el lado europeo cada vez eran mayores las tentaciones de saltar sobre ella y destruir aquel nido de piratas que tanto daño hacía a los navíos de «Su Majestad». Y los habitantes de Tetuán ansiaban la autonomía, algo que logró el bajá Ahmed en 1738, gracias a la creación de un bien pertrechado ejército propio, financiado por la actividad corsaria del Estrecho y, por qué no, los excedentes agrícolas de las faldas del Rif.

Hacia finales del siglo siguiente y principios del presente, las luchas de influencia en el Norte de África que se dirimían entre ingleses, franceses y españoles dieron como resultado que España obtuviera en el reparto del pastel la codiciada guinda de Tetuán y, con ella, el extremo noroccidental del Magreb. Tetuán se convertía en 1913 en capital del Protectorado español sobre Marruecos. Y nunca una palabra ha sido más injustamente utilizada: ¿Protectorado ante qué o frente a quién? ¡Un eufemismo para justificar la simple ocupación de un pueblo por otro!

En 1956 todo acababa: el Estado Alahuita recibía lo que le era debido. Tetuán regresaba a sus viejos amos. En Marruecos sólo permanecían dos quistes para recordar que alguna vez, en algún cruce de la Historia, España estuvo allí.

Pero España sigue presente, si no de derecho, al menos de hecho, aunque, en la primera impresión que Tetuán ejerce sobre el viajero, esa presencia no se produzca.

De hecho, el panorama que ofrece la ciudad llegando desde el norte, desde Ceuta, es más bien decepcionante. Las primeras edificaciones que alcanzan la mirada esperanzada del europeo que accede a Tetuán son anodinas, faltas de carácter, desprovistas de la fisonomía que le es obligada por su historia y emplazamiento. Al fondo, como un decorado extraído de espacios vistos mucho más al norte, en los paisajes alpinos del centro del Viejo Continente, que-

7. Los días de mercado suponen una explosión de color que inunda la Medina.

da el Rif. Pero ni siquiera adopta el aspecto amenazador que su devenir temporal sugiere: Son crestas onduladas que parecen arropar y proteger a la ciudad de los vientos que pudieran alcanzarle desde las yermas extensiones meridionales. Y sus gentes, los primeros habitantes que traen los despejados viales que contornean el conjunto urbano, apenas difieren en su modo de vestir y en su deambular apresurado de los de cualquiera de nuestras ciudades, salvo en el tono tostado de su piel. Se hace necesario abandonar nuestro vehículo en la Plaza Hassan II, en el corazón de la ciudad, e inmediatamente dirigir la mirada hacia el Norte.

Y entonces aparece.

Con el sol invernal, bajo sobre el horizonte sur, la ladera del Djebel Dersa es la acumulación de innumerables cubos regulares que cubren sus piedras cercanas, rota sólo por los diecisiete minaretes que apuntan al cielo y la Kasbah que vigila desde la cumbre. Braque, Picasso o Juan Gris sentirían con la contemplación del cuadro que forma la aglomeración uniforme de inmuebles del casco antiguo de Tetuán que su imaginación cubista era una mera representación de la realidad. O puede que, por el contrario, les reafirmara en su pretexto de que la pintura –y, en este caso, la realidad– cubista esconde los distintos aspectos de un mismo objeto y no sólo la imagen que los ojos permiten ver de él. Porque detrás de los volúmenes regulares que nuestras retinas engloban desde la Plaza de Hassan II, habita todo un mundo invisible esperando ser descubierto: justamente ese mundo que el viajero venía buscando, y que se hace real, tangible, vivo, sólo cruzando la puerta Este de la Plaza y adentrándose por la calle que allí comienza, cuyo nombre ya le pone sobre aviso de lo que está por venir: calle de Ach Ahmed Torres. África y Europa, Marruecos y España, Andalucía en el Rif...

Pronto se alcanza la menuda plaza del Souk El Hots. Y aquí, desde su enlosado irregular, desde los ojos huidizos de las mujeres que se pierden entre los cacharreros, desde los melancólicos árboles que hacen sombra a la penumbra, Tetuán se transforma. Llegamos al interior del cuadro, a lo que escondía la imagen plana obtenida desde el aparcamiento. Las callejas de la Medina se retuercen, serpentean, ascienden continuamente. La división espacial por gremios, propia de todas las ciudades antiguas del mundo árabe, se desarrolla en medio de un inconcebible tumulto. Llega el barrio de los artesanos de cuero, el de los tintoreros, el de los sastres especializados en chilabas de cálidos colores. Más allá los ebanistas muestran sus rojos baúles, primorosamente decorados a mano. Y si el día de la visita coincide con el de mercado, cuando los bereberes rifeños bajan de las montañas para ofrecer sus productos a los ciudadanos de Tetuán, el viajero notará algo más que el contacto humano con sus habitantes. Le envolverá una atmósfera inhabitual, nunca antes respirada, una mezcla de especias inundará su sentido del olfato, la vista enfocará necesariamente en corto, porque todo está irremediablemente cerca: tomates maduros, verduras cultivadas con amor, imprevistas carnicerías donde las moscas se alimentan en primera instancia, roce permanente, voces en árabe que parecen suplicar la compra de determinado artículo, de cualquier cachivache, y alguien que le habla en español, porque en Tetuán todo el mundo es capaz de articular palabras en ese idioma, y se sentirá integrado en un mundo que no es el suyo pero que es tan sencillo de asumir como un atasco en la Gran Vía madrileña...

Compre, compre, si lo desea, pero no olvide el regateo, nunca olvide el regateo, porque su aspecto le delata, y aunque no fuera así, el árabe exige en toda transacción comercial que se discuta el precio, porque es parte del juego, porque si así no lo hace el comerciante se sentirá defraudado, el estafado será él y no usted.

Y, cuando ya no pueda más, ascienda un poco, llégueses hasta la plaza alargada que forma el Souk El Foki, notará que algo cambia, le cubrirá el aroma cálido del pan recién hecho junto con el de inauditos productos de belleza expuestos en apretado despliegue, bajo aleros que aguantan porque es su obligación, entre mujeres que buscan aquellos polvos misteriosos, esas líneas prefijadas que otorguen a sus ojos la intención que sus ropas inhibidoras le niegan al cuerpo.

Frente a ese despliegue puntillosamente árabe, el viajero requiere asirse nuevamente a su mundo. Y no está lejos. Desde el Souk El Foki, el Palacio Real queda muy próximo, y, con él, el regreso a la Plaza de Hassan II, el punto de partida emprendido poco antes hacia el caos. Pero no espere maravillas. Encontrará que, tras recorrer la Medina, el Palacio, con fuertes reminiscencias hispano-árabes, le dejará bastante insensible. Sus techos de estuco y filigranas puede que le regresen, con inferior magnificencia, a recuerdos de la Alhambra. Pero todo huele a reciente, a inmediato, y falta el sabor auténtico de lo que ha dejado atrás. Por eso sus pasos no deben demorarse demasiado allí. En su lugar, debe cruzar nuevamente la Plaza de Hassan II, y, antes de traspasar otra vez la puerta Este, descender hacia el Mellah, el barrio judío. Sus calles trazadas con tiralíneas, las arcadas que parecen sujetar las viviendas para que no se desplomen sobre el viandante y, sobre todo, las rejas de hierro forjado, de marcado diseño andaluz, acabarán de otorgarle lo que busca, lo que Tetuán está dispuesto a entregar al intruso: el punto de inflexión, el carácter de puente entre dos culturas, dos mundos, dos modos de concebir la vida que se desparrama por los paises mediterráneos.

Y entonces, sólo entonces, puede que convenga conmigo que Tetuán no es precisamente la más hermosa ciudad árabe, ni siquiera la más exótica o misteriosa o dotada de superior tipismo. Pero que se trata de la ciudad imprescindible, de la visita obligada que el viajero precisa para comenzar a comprender y, sobre todo, amar lo que le va a ofrecer a partir de ella el Magreb.

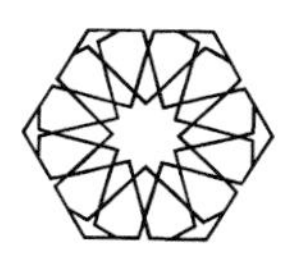

FEZ

El camino que une Tetuán y Fez es la estrecha constatación, en forma de cinta de asfalto, de que se ha accedido a otro universo. No es sólo porque la carretera adquiera una definición diferente a la que nos es familiar. No es sólo por los pueblos que se cruzan, las gentes que se agolpan en el borde de la ruta haciendo ostentación de su permanente desempleo, la ausencia de mujeres al atardecer o la omnipresencia de niños inconscientes al riesgo del automóvil moderno. Es el propio paisaje que se modifica, que adquiere contornos diferenciadores, que quiere ya ser francamente africano.

Durante gran parte de la ruta, el Rif sigue vigente, mostrando permanentemente los dos niveles que le dan carácter: el bajo, donde la vida ciudadana se desarrolla en un horizonte ondulado y fértil; el alto, dominio de irreductibles aldeas bereberes que coexisten con paisajes de piedra descompuesta.

Poco después de dejar a la izquierda la delicada localidad de Chechauén y sus calles en permanente tobogán de luminoso azul, se cruza el país de los Djebala, cuyo nombre descubre su vocación montañesa, y, llegados a Ouezzane, el poderoso Rif se deshincha, adormece sus ímpetus rocosos, se acaba. Los riachuelos que discurrían apresurados, se vuelven perezosos. Los robles, pinos y olivos que decoraban el paisaje separan sus copas, se hacen cada vez más improbables, dejan espacios para que las lomas suavicen sus contornos, se redondeen, adquieran un verde fugitivo que el verano matará. Y luego, cuando el Oued Ouerrha fije las fronteras meridionales de las montañas, el suelo fértil dará paso a la desertización progresiva, a la tierra de nadie, en un dilatado valle entre el Rif y el Atlas Medio.

Allí queda Fez.

Pero no quiero desvelar nada todavía. Pretendo que antes ascienda el viajero conmigo por la carretera panorámica que se extiende al noroeste de la ciudad, hasta las *Tumbas Merinidas*. Descubrirá que los mausoleos de los monarcas que dieron lustre a Fez ya no contienen nada que le motive. Son apenas ingentes montones de piedras que poco a poco van desesperando de mantenerse en pie. Pero es necesario llegarse hasta la más masiva de ellas, y, en la loma pelada donde se asienta, dirigir la vista hacia el sureste. Entonces lo verá. Es el atardecer deshaciéndose en rojos fulgores que tiñen de sangre las cumbres nevadas del Atlas Medio. El sol, a su espalda, se desploma en un vano intento de evitar el triunfo de la noche. Los contrastes se suavizan, las sombras se alargan, crecen los matices. Emergiendo como recortables de papel desde el Oued Fez, las murallas de la ciudad se elevan abrazando una aglomeración urbana que parece no poder ser contenida en su avance por ellas. El color ocre,

8. La oración cinco veces al día es uno de los pilares básicos del Islam.

las enormes y oscuras grietas por donde asoman resecos matorrales que han logrado arraigo en la argamasa, los deshabitados torreones cuyos únicos vigías son hoy algunos pájaros soñolientos, y antenas de televisión los exclusivos metales que los guardan, acercan a quien las contempla un sentimiento de obra descolocada y caduca, fuera de ambiente y de lugar, de gloria pasada, de no corresponder a este mundo y a esta época.

Dentro de ellas, la aglomeración urbana que conocemos por Fez el Bali, la ciudad antigua, aparece erizada de minaretes sobresaliendo entre la bruma que crea el atardecer y la vida que bulle invisible entre viviendas miserables, medersas silenciosas, palacios insultantes en su magnificencia, mercados de imprecisos contornos y doradas mezquitas.

Desde las Tumbas Merinidas el radical contraste entre el blanco virgen de las cumbres nevadas del Atlas y el ambiente viciado que se escapa incontinente de Fez el Bali, crea en todo aquel que se llega hasta el lugar, con el corazón tan desnudo como el altozano desde el que observa la ciudad, un sentimiento atemorizador, a medio camino entre la incomprensión y el desasosiego. Pero también las ganas irreprimibles de descender hasta el plano inferior, penetrar en el infierno, sentir en la carne y en cada uno de sus sentidos la realidad que allí habita.

Pero a la comprensión precede siempre el conocimiento. Y, por ello, antes de adentrarnos en la ciudad por la Bab Bou Jeloud, aprovechando la relativa quietud de las Tumbas Merinidas, caigamos en la cuenta de que Fez no existe. Eso es algo que el viajero atento ya habrá percibido en su acceso desde la carretera que le trajo de Tetuán. Fez es una sola denominación para disimular tres realidades diferentes y, en algún sentido, contradictorias. Primero es la Ciudad Nueva, la última en edificarse, un conjunto de viviendas regulares, sin personalidad ni gracia, con los humos de los vehículos ennegreciendo las fachadas y asfixiando a sus habitantes, que se extiende en la lejanía, a la derecha de la carretera. Luego, dentro de las primeras –y más nuevas– murallas que aparecen a la vista, queda Fez el Jdid, presidida por el Palacio Real, cúmulo de todo el poder, símbolo de la gloria de las dinastías que han gobernado Marruecos a lo largo de los siglos. Y, finalmente, después de bordear la Kasbah de los Cherarda, Fez el Bali, la urbe inestable que se aprieta en el valle inferior y que puede observarse desde la atalaya de las Tumbas Merinidas.

Fez es, por tanto, tres ciudades convergiendo en una única realidad física: la ribera, e incluso el propio cauce de un río.

Porque antes que Fez fue el Oued Fez, el río que aparece y desaparece tragado por la aglomeración urbana, como un minúsculo Guadiana ciudadano del que en ocasiones sólo aparecen los puentes que debían cruzarlo, alimentando sus fuentes, desalojando sus despojos, fertilizando jardines y campos cercanos.

Y cuando Fez era sólo río y garganta fecunda y aldea bereber, hasta sus orillas quiere la tradición que llegara Idriss I, creador del reino musulmán de Marruecos, y con un determinado tipo de azada de oro y plata –de nombre «fez»– delimitara el ámbito que debía cubrir la nueva ciudad que concebía como base desde la que organizar sus impulsos conquistadores hacia el Este, cruzando el paso de Taza, atravesando las estepas yermas que se extienden hasta Tlemcen y las ricas altiplanicies argelinas.

A esta primera fundación siguió el impulso urbanizador de Idriss II, hijo de aquél, dotando a la primitiva Fez de todo lo que conlleva el concepto musulmán de ciudad: medersa, palacio, viviendas apretadas, viales de estrechez angustiosa, souks... y habitantes capaces de hacerla prosperar.

Desde Andalucía, desde la Córdoba sustraída al control musulmán, llegaron personajes cargados de tecnología y cultura. Tunecinos desmotivados por la inestabilidad reinante en sus tierras emigraron a Fez. Judíos llegaron en tropel... Y, entre todos, hicieron una ciudad que, fuertemente marcada por su fisonomía árabe, adopta un espíritu propio y distintivo del resto. Un espíritu que alcanza a nuestros días y que es perfectamente perceptible por todo aquel que desee encontrarlo.

Se ha dicho que Fez es uno de los más tradicionales y santos centros religiosos e intelectuales del Magreb. Pero aquella primera afluencia de extranjeros, las oleadas sucesivas que alcanzaron sus murallas desbordando el perímetro original, firmando las nuevas realidades de El Jdid y la Ciudad Nueva, y el hecho irrefutable de que, durante mucho tiempo, Fez haya sido sede y lugar de encuentro de artistas, literatos y políticos de todo el mundo árabe e incluso de la vieja Europa, hace que la ciudad se presente ante el viajero como un laberinto de culturas diferentes que llegan a confundir y desorientar.

Al igual que ocurría con Tetuán, el acontecer histórico importa poco cuando son los seres humanos los que toman la palabra sobre la transformación que se produce en las piedras. Y, en el caso de Fez, apenas tiene relevancia que mantenga el dudoso honor de ser la primera capital administrativa del país, que entre sus murallas se encuentre la más antigua Universidad del mundo, que sus monumentos se cuenten entre los más llamativos creados por la civilización islámica... Porque ninguno de estos aspectos, por concluyentes e importantes que sean, son los que más impacto ejercen sobre el viajero.

Para mí que hay algo en los habitantes de Fez que les otorga un carácter diferente al de los de otras ciudades árabes. Y ese carácter es inmediatamente perceptible en el mismo momento en que se accede a ella. Puede que sea necesario viajar por las ciudades musulmanas más de lo que muchos están dispuestos a soportar para darse cuenta de ello. Pero eso no invalida que se trate de una diferencia real. Y que constituya el más grande monumento que contiene. Y que, la continua afluencia de extranjeros cultos, llegados desde todo el universo civilizado para asentarse en el interior de las murallas de El Bali, sea la responsable: Sus primeros pobladores, bereberes rifeños, sólidos y testarudos, aportaron la voluntad firme, el espíritu combativo; la llegada de los árabes aportó nobleza y sentido religioso; los andaluces importaron primor y delicadeza; los judíos, asentados en el Mellah, sus barrios comerciales, astucia y placer por los negocios. Cada nuevo poblador contribuyó a formar este variopinto calidoscopio humano que ahora puede contemplar atónito el visitante.

Doce siglos de historia ayudaron a que Fez El Bali llegase así hasta nosotros. Y si los Idriss marcaron con su voluntad en forma de azada el arranque de la ciudad, otra estirpe, la Merinida, soberanos llegados desde las estepas orientales, la llevó a su expansión y a su máximo apogeo.

9. A medio camino entre Tetuán y Fez, Chechauen es una delicada muestra de localidad rifeña. ►

10. Las murallas y el conjunto de El Bali, desde las inmediaciones de las tumbas merinidas. ►►
11. Las tumbas merinidas.

Durante el siglo XIV, Fez era la capital de un enorme imperio. Sus más de 200.000 habitantes desbordaban el recinto delimitado por las murallas de El Bali. Se hacía necesaria la creación de una nueva ciudad, adosada a la antigua: nació El Jdid. Y los sultanes merinidas se aprestaron a construir en ella un nuevo y más radiante palacio, un palacio digno de su poder. Y nuevas medersas y escuelas y mezquitas surgieron a orillas del Oued, porque el mundo árabe de entonces alentaba tanto por la cultura como por la religión, incluso anteponiendo aquélla a las liturgias que llegaban de los desiertos orientales. «La diferencia del sabio frente al que sólo es piadoso, es como la que hay entre la luz de la luna frente a la de las estrellas», reza un adagio musulmán. Y sabios de todas las nacionalidades, y estudiantes de las más distintas culturas acudieron a la irresistible llamada de las universidades y escuelas de Fez. Y colaboraron ellos también a dotarla de ese carácter especial a que hacía referencia más arriba...

Y así se alcanza el momento de descender desde el mirador de las tumbas merinidas, llegar hasta la puerta principal de El Bali, hasta la Bab Bou Jeloud, adentrarse en la Medina.

Y si, vista desde las alturas, El Bali se muestra ante el viajero como una amalgama de edificaciones sin solución de continuidad, llegando al nivel de calle, la impresión que se recibe es la de introducirse en el caos primigenio, allí donde nada de lo que perciben nuestros sentidos es real, sino producto de la imaginación pródiga de un artista del desconcierto, de un mago reciente de la iluminación, los volúmenes y el sonido. Las gentes deambulan de un lado a otro sin que parezca que tengan un destino final sus pasos. Los oficios se agrupan por gremios perfectamente delimitados, constreñidos a reductos estancos, estrictamente diferenciados. Un laberinto impenetrable de callejas donde fracasa miserablemente el más sofisticado sentido de la orientación que pueda concebirse, conecta imperceptiblemente los distintos sectores que, primero el olfato, luego el oído y, finalmente, la vista van descubriendo. Algunas de ellas, las más anchas se encuentran cubiertas, hurtándole al sol abrasador del verano la posibilidad de mezclarse con la vida que se afana debajo.

El ambiente es irreal, compuesto de sombras sin matices, de humo y hedor que asciende empastándolo todo. Y, al poco, llega la Medersa Bou Inania, y, como ocurre con la mayor parte de los edificios monumentales de las medinas árabes, resulta imposible contemplarla íntegramente, en todo su contorno. Parece como si una discutible sensación de modestia atenazase las manos de los constructores. Mezquitas, palacios, mausoleos, medersas quedan incrustados en los tortuosos viales, ninguno goza de existencia independiente, de la gloria perenne de la fachada y el volumen. En este caso, el más impresionante centro religioso merinida de Fez, presenta al visitante su identidad mediante un prolongado porche que invade incluso la calle que le da acceso. En su interior, desaparece la opresión que habita fuera, se acaba la angustia, regresa la paz, el sosiego. La gran puerta de madera y bronce oculta un vestíbulo cubierto de estalactitas de cedro, y, tras él, un patio de ónice, mármol blanco y mármol rosa, desde el que se accede a la sala de oración y a las celdas de estudiantes de la planta superior. Porque ésas son las dependencias que definen a este y a todos los edificios de similares características en las ciudades árabes. La medersa se concebía como residencia de estudiantes extranjeros, donde buscar la concentración necesaria para asimilar las materias de retórica, teología y derecho que componían el cuerpo básico de las lecciones que se impartían en la vecina mezquita, y como lugar de oración donde cultivar la piedad de los jóvenes alumnos.

Pero apenas dejada atrás la Medersa Bou Inania, otros son los rasgos que capturan al visitante. Desde que se adentra por la uniforme pendiente de la calle Talaa Kebira, los vendedores comienzan a acosar a cualquier individuo que ofrezca aspecto europeo. Las tiendas ocupan todo el espacio disponible a ras de calle, y sus ocupantes se ven obligados a salir al estrecho vial, mezclándose con los animales de tiro que transportan todo tipo de mercaderías, con los mendigos que quedaron para siempre con la mano extendida y una bendición a medio exhalar de la boca, y con el tráfico humano permanente y obsesivo. Es algo inevitable, algo que forma parte tan importante –o más, en mi opinión– como la propia visita a las innumerables maravillas monumentales que esconde la Medina. Y es lo que hace a Fez el Bali así de seductora, así de inolvidable: Cada uno de los grupos humanos que deambulan por el laberinto de casas que se mantienen en pie por designio de la Providencia captan inmediatamente la atención; asomarse a una terraza y descubrir a los curtidores afanándose en su duro y ancestral trabajo, entre un insoportable vaho de podredumbre y productos de mágicos colores pero hiriente olor, desconcierta; los souks bulliciosos, especialmente el Attarine, donde los colores múltiples de los sacos de especias, rivalizan con los de la ropa colgando como sucesivos cortinajes frente a las tiendas, sacuden los conceptos preconcebidos sobre lo que es un establecimiento comercial; y, finalmente, la vista del interior rutilante de una mezquita, la Karauiyne, la de Mulay Idriss, en medio de la miseria que la rodea, sorprende y encandila...

Se dice que El Bali va despoblándose poco a poco, que cada vez es más un reducto donde cautivar al turista que un auténtico lugar de habitación para sus moradores. Y puede que sea cierto: es posible que algunos de los propietarios de los negocios que continuamente salen al paso ya no habiten la Medina, pero la bolsa de miseria continúa, y los hombres que circulan en todos los sentidos, arreando a unas bestias que bastante trabajo tienen con sobrevivir, o cargando inestables montones de bultos, o simplemente derrumbándose en las cercanías de una mezquita o en la plazuela situada delante de la Bab Bou Jeloud y suplicando la caridad de una moneda, lo recuerdan.

Ocurre, además, que la visita a Fez El Bali es imprescindible para comprender determinados aspectos que definen la concepción árabe clásica de ciudad. Aquí está la fórmula tradicional de gran urbe del Islam, y, como tal, muestra los tres aspectos que marcan esa concepción: el comercial, el político y el religioso.

Seguramente, debido a las transformaciones en la malla urbana que crea la invasión turística de los últimos años, se tiende a considerar las medinas de las ciudades musulmanas como puros centros comerciales, donde los souks, los mercados callejeros, constituyen, con sus estrechos viales y su cómoda agru-

12. Interior de la medersa Attarine. ►
13. Conjunto de las tinas en el barrio de los curtidores.

14. Interior del mausoleo de Mulay Idriss. ► ►
15. Tramo cubierto de los souks.

pación gremial, el sello que las homologa. Pero esa visión es tan falsa como considerar que Barcelona, por poner un ejemplo, está constituida por las ramblas y el puerto: despojada de su vocación político-administrativa y religiosa la ciudad musulmana simplemente no existe, no puede concebirse.

La base económica derivada de la agricultura que dio origen en muchas civilizaciones al nacimiento de una ciudad, no se produce en Fez ni en la mayor parte de las grandes ciudades que, como ella, forman el entramado ciudadano del Islam. Como ya comenté, el origen de El Bali fue militar y comercial, y lo mismo ocurría con Tetuán. En ambos casos, la existencia inicial de una aldea en el asentamiento de la futura ciudad, viviendo sus habitantes en el umbral de subsistencia, no puede justificar la severa multiplicación de individuos que requiere la definición de ciudad. Las razones últimas siempre son estratégicas y ambientales. En Fez, el espacio urbano se organiza en torno a un río por razones de salubridad e higiene, y algo similar ocurría en Tetuán. También Fez y Tetuán se sitúan en pasos de interés militar: la primera, en el amplio pasillo natural por el que siempre discurrieron los ejércitos que iban o venían hacia o del profundo Oriente; la segunda, en los accesos rifeños a la zona del Estrecho de Gibraltar. Y todo ello da lugar a un peculiar modo de organización ciudadana que en Fez es perfectamente visible, a poco que se profundice en la visita.

En el interior de las murallas de Fez, como en la mayoría de las otras ciudades árabes, coexisten barrios muy distintos.

El núcleo del poder político se encuentra aislado, en un palacio fortaleza, el «Palais Royal», situado por encima del bien y del mal en Fez El Jdid. Sus tres puertas de bronce dorado permanecen continuamente cerradas para la curiosidad del pueblo llano. Es el *sancta santorum* del poder político, y exclusivamente los personajes cercanos a ese poder son admitidos en el interior. La imagen del castillo medieval europeo como refugio último de la población donde resistir los ataques enemigos, en el Islam no se produce. La ciudad –y sus moradores– quedan abandonados a sus propias posibilidades de defensa. Y eso es así desde Fez hasta Estambul, en toda la cultura árabe.

Siempre existe intramuros, curiosamente, una barrio judío, el Mellah, que es a la vez residencial y comercial, mientras que los barrios puramente musulmanes, por su parte, diferencian claramente las instalaciones comerciales de las destinadas a vivienda. En todos ellos, las tiendas, generalmente de diminutas dimensiones e inauditamente abarrotadas de género, guardan una cierta estratificación gremial, situándose las más nobles (orfebres) en las cercanías de las mezquitas.

Por más que se busque dentro de El Bali, no se encontrará una plaza amplia y soleada donde reunirse la población de los distintos barrios, donde solazarse y pasear, donde discutir los asuntos públicos. El ágora griega o los foros romanos en la ciudad árabe son inconcebibles. En su lugar, en medio de ese mundo oscuro, retorcido y estrecho, el patio central de los edificios religiosos, de las mezquitas, de las que Fez cuenta con algunas de las más notables muestras, hace las veces de lugar público de reunión. Es como si se pretendiera que todos los aspectos mundanos, toda la vida del ciudadano estuviera teñida de religión. Ni siquiera la vida estudiantil (menos que ninguna, me atrevo a afirmar) queda exenta de esta norma: la medersa siempre está situada en las cercanías de la mezquita a la que está asociada...

16. Cuchilleros en la Medina.

Simplemente abriendo un plano de Fez es posible observar cómo la ciudad mantiene este esquema básico hasta en sus más mínimos detalles.

El problema para el viajero es que, si bien todos estos aspectos son notables y evidentes si se desea reparar en ellos, Fez el Bali no es normalmente lugar donde nadie esté dispuesto a confirmar teorías o corroborar ideas preconcebidas. Entre otras cosas, porque para acceder al interior de las murallas, para traspasar la Bab Bou Jeloud y saturar el espíritu de lo que la vieja Medina puede entregar a cambio del esfuerzo de la visita, es imprescindible aparcar en el exterior, junto con el vehículo que hasta allí le ha transportado, la razón, y confiarse exclusivamente a los sentimientos que emanan de cada una de sus esquinas, de sus minaretes buscando cielo abierto, de sus suntuosas mezquitas y medersas, de la atmósfera densa y opresiva que avanza como una plaga bíblica impregnando vestido, piel... y ánimo.

Nunca diré que no resulta un placer estético y profundamente emotivo caminar por las callejas de El Bali. Probablemente, para el alma sensible del viajero comprometido, haya pocos lugares donde pueda experimentar de forma más inmediata el contacto con otros seres humanos –el físico y el espiritual. También es posible que la contemplación de los iluminados interiores de mezquitas y zaouias, como la de Mulay Idriss, le cuenten mucho más en una sola imagen que todas las palabras que yo pueda invertir hablando de la religiosidad musulmana. Pero la impresión que ofrece la ciudad, si se contempla desde un punto de vista exclusivamente humano, apartando el exotismo y el zafio interés puramente turístico, es profundamente turbadora. La Medina entera rebosa de mendigos, tullidos y enfermos, muchos de ellos de raza bereber. En

LENTREE
EST
GRATUITE

كوكا كولا

realidad, la mayoría de los habitantes que consumen sus vidas entre la humedad, el hedor y la miseria parecen cansados, abatidos, taciturnos. Las condiciones de vida, por mucho que puedan subyugar al visitante ocasional, son infrahumanas. La higiene, buena alimentación y todos los niveles básicos que exigimos a la vida moderna son absolutamente desconocidos. Y ni siquiera puede considerarse que mantener una tienda dentro del recinto de Fez El Bali pueda ser un buen negocio, porque se encuentran tan repartidas, atomizadas y cargadas de material que difícilmente pueden dar suficiente rendimiento para atender a las necesidades elementales de una familia modesta.

Y, a pesar de todo ello, no puedo negar que caminar sin prisas por el interior de la Medina es una de las experiencias más atractivas que aún depara el Mundo del Oeste, el Magreb, al viajero actual. Pero la presión del entorno, la angustia de tanta vida encerrada en este submundo de calles enfermas, de viviendas arracimadas y sin ventilación aparente, el continuo ir y venir de hombres y animales a través de una atmósfera densa, maligna e insana, oprime hasta límites poco soportables. Y no es tanto por el propio viajero, que verá con ojos sorprendidos cuántas escenas insospechadas se producirán ante él, puesto que, al fin y al cabo, tiene la salida garantizada, como por los miles de seres humanos que nunca alcanzarán la existencia exterior, que deberán agotar hasta el último minuto de sus vidas en la penumbra permanente o entre el olor dañino de las tinturas, de los despojos sangrantes de animales, de las mercaderías empolvadas y nunca vendidas...

Por eso, la Ciudad Nueva, falta de gracia y personalidad, exenta de vida propia y diferenciadora, es, sin embargo, un reconfortante sosiego, una esperanza en medio de otros vapores –el humo de los automóviles– y de otros sonidos –los continuos bocinazos.

Las casas alineadas en regulares trazados, la monotonía de construcciones anodinas, las viviendas de sesenta metros cuadrados donde se acumulan en un solo espacio multiuso familias de diez miembros o más, suponen la ilusión inalcanzable para muchos moradores de Fez El Bali. Y la decisión gubernamental contemporánea de situarlas a niveles asequibles de precio, propiciando que la Medina vaya progresivamente despoblándose, resulta, cuando menos, humanamente aceptable. Cualquiera que sea el efecto resultante sobre Fez El Bali, no importa que se pierda para siempre parte del tipismo del lugar...

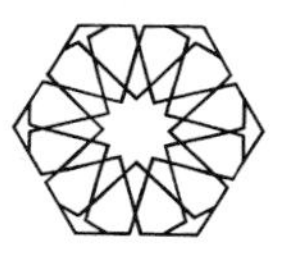

◀ 17. En ocasiones se hace extremadamente complicado circular por los estrechos viales de El Bali.
18. La conversación frente a un te a la menta es algo más que una costumbre entre los habitantes de Fez.
19. No hay edad para iniciarse en el trabajo en El Bali.

MARRAKESH

A veces ocurre. En ocasiones, el conocimiento de un objeto requiere alejarse de él para observarlo desde cierta distancia. La perspectiva ayuda a la percepción global. La lejanía se hace necesaria para la comprensión. Sucede con los sentimientos de los seres humanos y sucede –¿por qué no?– con las ciudades.

En un recorrido como el presente, enlazando ciudades mediterráneas, intentando bucear en la esencia de lo que el concepto de ciudad supone para los habitantes del área terrestre bañada por ese mar, buscando ser invitación al descubrimiento y no desglose de maravillas, insinuación y no partición, sobrevolando lo concreto y tanteando mínimos pasos sobre lo global. Y haciéndolo desde un enfoque más sentimental que científico, más emotivo que dogmático (quizás desde el único enfoque que es válido para entender el alma ciudadana mediterránea), resulta imprescindible ahora mirar decididamente al sur, dejar Fez y el llano del Sais, y comenzar la ascensión interminable del Atlas Medio.

Desde Azrou, atravesando un majestuoso bosque de cedros, la carretera culebrea incansable, mostrando valles alpinos, descubriendo pequeñas localidades bereberes, planicies donde los cereales acogen jubilosos las lluvias atlánticas. Los olivares de Beni-Mellal guardan nostalgias andaluzas, mientras que el Dir, con sus campos de naranjos, granados, limoneros, melocotoneros e higueras, traen aromas del Levante español. Y en los últimos kilómetros, cuando los paisajes desérticos parecen adueñarse definitivamente del entorno, la imagen nunca antes contemplada de más de cien mil palmeras apiñadas copa con copa, forman una media luna protectora para la más evocadora ciudad del Magreb, y puede que del mundo entero: Marrakesh.

Sólo pronunciar su nombre obliga a la mente –y aún más al corazón– a volar en busca de los grandes espacios saharianos, donde ergs, regs y oueds de cantos rodados y humedad olvidada son recorridos por cansinas caravanas que conectan con ella mediante un hilo de fuego aquellos otros sonoros lugares como Tamanrasset, Tombuctú y el Níger. Hileras de tristeza negra buscando su destino en los mercados de esclavos de Berbería, agonizando bajo un sol blanco. Mercados de lo exótico, hombres azules, bereberes tostados, espías llegados del frío, conspiraciones internacionales, batallas heroicas y, antes que nada, encuentro violento de dos mundos: el mediterráneo que desciende como suave reflujo de marea, y la poderosa ola sahariana que todo lo trastorna. A las sombra de las palmeras.

20. Puestos callejeros en la plaza Jemaa el Fna.

Y Marrakesh se muestra consecuente con las imágenes que provoca.

Su nacimiento fue fruto de una doble infidelidad. Durante el cambio de milenio, los bereberes del desierto habían atravesado el Alto Atlas buscando mejores condiciones de vida en el interregno montañoso que forma el llano de Haouz. Su caudillo, el almorávide Abu Bakr, mandó construir en un lugar próximo a donde en la actualidad se alza la Koutoubia –el más señero monumento de Marrakesh– una kasbah, el Ksar Al Hajar, antes de verse obligado a regresar hacia el sur con parte de su ejército para reprimir una revuelta que se estaba produciendo en Mauritania. El resto de sus tropas quedaron al mando de su primo Yusuf Ibn Tachfin. Y su esposa también.

Yusuf consideró que aquel llano era un buen lugar donde establecer un reino independiente... con él como soberano y, posiblemente, con la esposa de su primo a su lado. Dos propiedades que cambiaban de mano por la voluntad de un varón: el criterio de la esposa no aparece en la historia, sencillamente porque no contaba entonces y seguiría sin contar ahora.

El regreso de Abu Bakr fue un viaje de ida y vuelta: Ya no tenía kasbah ni esposa ni lugarteniente, por lo que, cargado de islámica resignación, regresó a las estepas del otro lado del Alto Atlas para no volver nunca más.

Liberado de la sombra de Bakr, Yusuf contempló su escuálido reino. El emplazamiento de la que debía ser su capital no estaba mal: era un cruce de caminos imprescindible para quienes discurrían entre el desierto dorado de Sahara, a través del paso del Tizi-n-Tichka, siguiendo la línea de oasis del Dra, hacia el desierto azul del Atlántico, y también hacia el norte, en dirección a los laberintos del Tazeka o las costas mediterráneas. Allí todas las caravanas se detenían para tomar resuello. Apresuradamente, pero se detenían. Por eso los bereberes, desde antiguo, nombraban aquel lugar como Marrukech, el mercado de las prisas. Por otro lado, la cercanía de las montañas ofrecía suficiente garantía de control sobre el entorno, y la loma pedregosa de Gueliz un buen punto de observación y refugio, en caso necesario.

Sólo existía un problema: no había agua. Y, para resolverlo, los ingenieros de Yusuf inventaron la rhettara.

Hay algo que todos los hombres del desierto saben: que existe agua en el subsuelo. En la más ardiente y seca de las planicies arenosas del Erg o en el pedregoso Reg, siempre es posible encontrar el líquido vivificante. Sólo hay que llegarse hasta la capa freática, en determinados puntos, para encontrarlo. Construyeron los hombres de Yusuf numerosos pozos de profundidad suficiente para alcanzar las vetas acuíferas, conectándolos a través de un entramado de galerías subterráneas –las rhettaras–, y consiguiendo, de este modo, irrigar los campos circundantes y aportar el agua suficiente para el nacimiento de la ciudad.

Ya tenía capital –o al menos las condiciones necesarias para establecerla–, por lo que durante los siguientes cuarenta años Yusuf se ocupó de crear un reino auténtico sobre el que reinar.

Sus correrías le llevaron en volandas hasta el mismísimo sur de la Península Ibérica, donde conquistó la mayor parte de los divididos reinos musulmanes que allí existían. Hacia el este, nadie pudo pararle hasta Argel, con lo que los dominios administrados desde la naciente Marrakesh alcanzaban desde los confines del Atlas hasta el Atlántico, y desde el Ebro hasta el Dra.

La conexión almorávide, continuada por los hijos de Yusuf, significó la apertura de la capital a las influencias mediterráneas. Los intercambios fueron mutuos, y el provecho compartido, puesto que, si los modos de vida y la cultura de los árabes habitantes del otro lado del Estrecho alcanzaron Marrakesh, no es menos cierto que los saharianos almorávides y, posteriormente, los almohades, exportaron a Iberia parte de su mundo. Y la huella imperecedera de que así fue es la Giralda de Sevilla, un minarete –hoy convertido en campanario por mor de los cambios de creencias– copia exacta de la Koutoubia de Marrakesh.

Sin embargo, en un mundo que balanceaba sus afectos entre la seducción del Norte, plagada de infinitos estímulos civilizadores, y la permanente llamada del desierto, Marrakesh casi siempre optó por seguir obsesivamente mirando al Sahara. La ortodoxia religiosa, emparentada con el conservadurismo en las costumbres, línea directa hacia el cerrilismo puritano que saturaba las mentes de los dignatarios almohades, dio como resultado que esa apertura cultural que el Mediterráneo ofrecía generosamente nunca llegase a pasar del intento. Y la beneficiaria de ello fue otra ciudad situada más al norte, aquella de la que procedemos en nuestro recorrido por el Magreb: Fez. Y si a Tetuán y a Fez les unía su anhelo mediterráneo, Fez y Marrakesh permanecieron continuamente enfrentadas en razón de sus evoluciones divergentes y de una única pasión común: dominar el Magreb, convertirse en la Capital del occidente islámico, una pasión que sólo pudo zanjarse cuando el dominador alahuita situó en Rabat la capital del Marruecos que conocemos .

Quizás convenga detenernos, aunque sea someramente, en este punto. Quizás sea necesario demorar un poco la entrada al interior de las frágiles murallas de adobe que contornean Marrakesh, ralentizar momentáneamente el paso, sujetar el brocal de las ansias que empujan al conocimiento. Porque lo que se descubrirá allí donde Marrakesh deja de ser desierto y montaña y palmeral para convertirse en ciudad, guarda idénticos nombres pero diferente espíritu que lo visto en Fez. Es esa una circunstancia que no pueden transmitir las palabras, que no puede contarse, que sólo se alcanza sintiendo ambas ciudades. Porque aunque Fez y Marrakesh guardan las formas en su fisonomía árabe, pertenecen a dos mundos distintos: uno que recoge la instigación que procede del sur, del Sahara, incluso del África Negra; el otro que recibe las ilusiones nuevas del Oriente, de la delicadeza bética. Y cada una de las estirpes que alguna vez las consideraron alternativamente dignas de la capitalidad magrebí, lo hicieron atendiendo a sus tendencias, a sus modos diversos de contemplar la existencia, e intentando siempre, ¡siempre!, anular a la otra. Idrissíes y merinidas optaron por Fez. Almorávides, almohades y saadianos tuvieron su exaltación en Marrakesh. Los alahuitas dudaron, para, finalmente, no adoptar su capitalidad en ninguna de ellas.

Con Marrakesh ocurre pues lo que con todos los lugares imbuidos de una fuerte personalidad: la resistencia a dejarse llevar por influencias externas les hace estancarse en su propia complacencia. Lo cual puede constituir una des-

21. Acceso a los souks. ►
22. En ocasiones las callejas de los souks se abren en recoletas plazas.

23. La artesanía del cobre es excelente en Marrakesh. ►►
24. Tienda de alfombras.

RYDAY.EXCEPT.FRIDAY
MPRI.MA.MAS.QUE.EL VERN
DIMA
القديمة

gracia para el desarrollo de la ciudad y sus habitantes, pero, con toda seguridad, es una impagable fortuna para nosotros, peregrinos del Tiempo, que, de este modo, podemos contemplar en todo su esplendor -y también en toda su miseria- una ciudad árabe de aspecto medieval, detenida en un momento de la Historia, y dotada de un aspecto que no recuerda al de ninguna otra ciudad. A Marrakesh le queda una única gloria, una victoria pírrica, pero victoria en definitiva, sobre todas las demás ciudades marroquíes, porque si no obtuvo la capitalidad –al fin y al cabo un mero efecto administrativo–, dio nombre al conjunto del país y pintó su bandera, tiñéndola del color de sus murallas. Y, por si eso no fuera poco, por si el hecho de haber acaparado los sentidos de la vista y el oído de toda una nación no constituyese suficiente recompensa a una historia partida entre dos ilusiones contradictorias, a Marrakesh le queda –y probablemente le quedará para siempre– el honor incontestable de ser una de las más fascinantes ciudades del orbe.

Traspasemos sus murallas, pero hagámoslo por un lugar inhabitual, por aquella puerta que normalmente no es atravesada por la masa de turistas que diariamente invaden la ciudad, entremos en Marrakesh por la Bab Debbarh.

Las murallas en esa zona, al noreste de la ciudad, adquieren un tono asalmonado al atardecer que hace que parezcan recién construidas. Es como si la argamasa que las forma estuviera aún fresca, como si los bereberes que les dieron forma acabasen de perderse por los viales interiores de la ciudad, acabada su jornada laboral. Los volumenes y las sombras juegan mágicamente con la mirada perdida del viajero. Sólo con esa visión ya se percibe que Marrakesh permanece anclada en algún agujero del Tiempo, que no es de esta época ni de ninguna otra, que no pertenece a ninguna cultura, que es única. Y el palmeral queda tan cerca que las palmas simulan saludar con sus manos verdes la explosión inusitada de luz y color que desprenden. El viento del sur trae aromas del Sahara, el viento del norte el aliento helado del Atlas Medio, y ambos se reúnen levantando polvo ocre fino como talco.

La Bab Debbarh, por su parte, es un cubo regular sin ningún atractivo, salvo el color, pero es la puerta de las maravillas. Apenas traspasada, ningún guía es necesario para dirigirnos hacia el primer punto de interés: un penetrante y desagradable olor a despojos animales encamina el paso. A la izquierda, apenas unos metros después de la puerta, unos hombres vestidos de sangre ajena desuellan carneros. Más allá, otros lavan concienzudamente las pieles, despojándolas de sus humores. Y, luego, la calle se abre en plaza cubierta de múltiples pozas circulares, llenas de líquidos de colores diversos, donde se curten y tiñen los mantos robados a los animales. Una montaña de pieles frescas humea continuamente, y el hedor que desprende sólo invita a la huida. Pero es necesario aguardar, observar los semblantes de quienes allí trabajan, empaparse de la dureza infinita de la labor en las tinas de colores, y cómo marca sus rostros. El barrio de los curtidores de Marrakesh es más pequeño y menos vistoso que el de Fez, pero, al contrario de aquél, puede verse desde el nivel de los que allí trabajan, mezclándose con ellos, sintiendo, aunque sea únicamente durante unos minutos, lo que ellos sienten durante toda su vida. Y así, confortados o abatidos por esa fugaz visión, conseguir preparar el espíritu para el resto de la visita.

Marrakesh –excepto en un caso del que hablaré más adelante– guarda celosamente la fisonomía de sus edificios monumentales, y en eso no se diferencia de las otras ciudades árabes. A las tumbas saadianas, uno de los más preclaros ejemplos del arte funerario magrebí, se accede por una callejuela lateral que en nada anuncia la suntuosidad interior del mausoleo. Allí reposan entre columnas de mármol de color de resina milagrosos arcos cuajados de estalactitas perecederas, en un jardín encantado, los restos de los miembros de la familia que dio el último esplendor a la ciudad. La Medersa Ben Yousef, la de mayores dimensiones del Magreb, aparece igualmente encastrada en un cruce de callejas, junto a la mezquita de igual nombre. Y lo mismo ocurre con la Mezquita El Mansour, El Badia, y los mil y un monumentos que saturan la Medina. Por eso quizás resulte tan gratificante ir descubriéndolos poco a poco, circulando por los souks, mientras la mirada se recrea en todo lo que la imaginación árabe es capaz de concebir para atraer al cliente. La presión para la venta es intensa aquí, ¡por supuesto!, pero menos que la sufrida en Fez o Tetuán. El espacio es mayor, y, aunque las callejuelas a menudo tienen el ancho justo para un solo viandante, en muchas ocasiones se abren en pequeñas plazas, tan abarrotadas de gente como los viales, pero donde, al menos, la vista no se cierra en estrecheces insoportables. En muchos tramos, las calles aparecen cubiertas por cañizo, a falta de material más sólido que impida al sol estival abrasar a la masa humana que se mueve por ellas. Es posible descubrir corros de bereberes bajados de las montañas, con caras y manos tan curtidas y tan surcadas de arrugas que parecen mapas en relieve hechos con papel de estraza, discutiendo en un idioma que los árabes no pueden entender alguna transacción para sus exiguas alforjas. En una plazuela a cielo abierto, las edificaciones se cubren de alfombras, desde el techo hasta el suelo, ofreciendo una imagen tan deliciosa que ninguna fotografía, por sofisticada que fuera, sería capaz de traducir. Los aguadores van y vienen cargando sus odres en la fuente Al-Mouasin. «Balek, balek», gritan unos que circulan apresurados, «hundred dirhams», venden otros lo que estarían dispuestos a entregar en diez. Se juega a las cartas a la sombra. Las mujeres miran con pasión los cosméticos. El Kohl cambia de manos por unas cuantas monedas. Calles quedan tapizadas por telas de vivos colores que los habitantes del barrio de los tintoreros ponen a secar. Los souks vibran de agitación, desde el amanecer hasta que la noche traslada la barahúnda hacia otro sector de la ciudad, justo a la entrada de los souks: hacia la Plaza Jemaa El Fna.

Esta plaza, cuyo nombre significa literalmente Asamblea de los Muertos, debido a la costumbre que se tenía de exponer en ella las cabezas de los ajusticiados, es el auténtico corazón de la ciudad. En ella, todo es distinto. Incluso su forma triangular y el inmenso espacio que cubre no tienen parangón en ningún otro lugar del entorno musulmán. Pero es que, si Marrakesh es la más inhabitual de todas las ciudades, si en ella habitan gentes que son mezcla de todos los pueblos que ocupan el Poniente norteafricano, si es suma y compendio de toda una nación, su corazón, el punto infinitamente grande al que converge toda la ciudad, la Plaza Jemaa El Fna, supone la concentración en ese espacio triangular, de toda la cultura, modo de vida, tradiciones, grandezas y miserias del universo que le dio origen.

Nunca olvidaré la primera vez que alcancé la plaza, como creo que nadie podría olvidarla. Su imagen, sus juegos de humos y de luces quedaron grabados en mi mente de tal forma que se han convertido en permanentes, como si se tratara de un amor de primera juventud, con sus secuelas de nostalgia y de-

27. La imagen de la Koutubia y del conjunto de la plaza Jemaa el Fna desde el Café de France al atardecer es inolvidable.

◄ 25. Avenida de Mohamed V con la Koutubia al fondo.
26. Encantador de serpientes.

seo contenido. Aquel anochecer, en aquel invierno, en ese triángulo inestable donde comediantes, domadores de monos, saltimbanquis y echadoras de cartas se mezclaban con el humo grasiento de los incontables puestos de kebab, la fruta iluminada débilmente, los abalorios esparcidos sobre mantas, el tono tostado de los bereberes arracimados frente a los mil tenderetes, entre secciones de descoyuntados corderos dorándose a fuego lento, respirando el polvo en suspensión que levantaban tantos pies cansados, y llenándome los oídos de músicas, tonadas, ruidos y voces que nunca antes había escuchado, creo que me enamoré para siempre de esta ciudad, de esta plaza.

Porque la plaza Jemaa El Fna tiene una vida que recorre el tiempo de un día completo.

Nace cuando el amanecer aún no ha instalado sus luces pálidas. Durante las horas nocturnas previas, los basureros, como celadores de hospital preparando el alumbramiento, han despejado los restos del parto anterior, del día que acabó ayer y que viene repitiéndose desde hace siglos. Algunas furgonetas en avanzado estado de ruina rodante aparcan en el lado occidental de la plaza y sus ocupantes comienzan a transportar frutas, verduras, grandes ollas, tableros, trípodes, cabezas de corderos, inmensos recipientes chorreantes de sangre, sacos de especias, cajas llenas de los más insospechados cachivaches. Otros llegan a pie portando su negocio a cuestas: son los escribas, dentistas, aguadores, tonadilleros, jugadores y embaucadores en general. Finalmente recalan en la plaza quienes traen las manos vacías: unos porque sólo tienen que levantar las polvorientas persianas de los locales laterales para mostrar su oferta, y otros porque llegan dispuestos a airear aquella deformidad monstruosa, esa mutilación antigua o cualquier otro signo externo de su desdicha que conmueva el alma del paseante y le haga depositar una moneda en su regazo agradecido.

Y así comienza el espectáculo.

A lo largo de la mañana, compradores boquiabieros, desocupados de cualquier condición, mujeres con niños, ancianos sin turbante, canalla de las calles de Marrakesh y turistas con guía de contrabando irrumpen en el escenario. Bereberes con chilaba clara sorben el tuétano de unos huesos a los que, previamente, han despojado de todo vestigio de carne. Los chocolateros luchan despiadadamente con las moscas ávidas intentando que su producto llegue más o menos íntegro a bocas humanas. El aguador, de regreso de Al-Mouasin, canta su clara mercancía, aunque sabe que su beneficio está más en la foto que pueda hacerse con la mujer de algún turista que en la cantidad de veces que llene su cacharro de latón. Vendedores de hierbas raras, de gargantillas, pulseras, amuletos, pins (antes que se inventaran) y todo tipo de quincalla gritan las excelencias de su mercancía. Hacia el oeste un grupo de barberos rasuran alegremente a todo aquel que se pone a tiro, siempre usando la misma navaja, siempre acompañados por el aleteo incesante de las moscas. Los escribas auxilian a los iletrados en sus intentos de comunicación, sea escribiendo cartas de amor, sea redactando contratos, sea felicitando cumpleaños o dando pésames. Los buñuelos intercambian sus aromas con los especiados kebabs. Un dentista roba su trofeo a una caverna oscura en forma de boca para estupor y daño de su legítimo propietario. Aquí se venden alacranes vivos para regalar a la suegra. Un poco más allá, elixires de la fertilidad, o ungüentos con garantía de erección ilimitada, o bebedizos para rejuvenecer...

Y llega el mediodía. Y un poco por huir del calor, un poco para tomar resuello, un poco por apurar aquella pipa de kiff, la Plaza Jemaa El Fna se despuebla moderadamente. Los puestos de kebab y fruta siguen despachando alimentos, pero ya son más los que dormitan a la sombra que los que permanecen interesados en el bullicio. Alguna cervecería de la zona y el Café de France hacen su agosto, aunque sea invierno. Precisamente la terraza de este último es la mejor atalaya de observación para lo que está por suceder cuando llega la tarde. Porque cuando el sol ceja en su intento asesino de achicharrar a todo lo que se mueve, la plaza cambia de aspecto, se encoge, se alarga, cambia de piel como un camaleón triangular, modifica sus contornos... se puebla de nuevo.

Esta vez siguen siendo vendedores que sustituyen a vendedores, cocineros que persisten en su vocación de llenar de humo el recinto, pero también nuevas adquisiciones del espectáculo: danzarines negros, acróbatas de Amiz, tragasables y bailarinas mauritanos, descifradoras de manos que parecen descendidas de carromatos gitanos, domadores de serpientes sin flauta, y también jugadores de cartas, y músicos, y comefuegos...

La llamada vespertina a oración, como un lamento prolongado desde las torres de las mezquitas cercanas a la plaza, anuncia la progresiva muerte de la Jemaa El Fna. Pero nadie, nadie que acuda a ella con ojos extranjeros inquisitivos, ansiosos de vivencias realmente nuevas, olvidará el impacto de un día vivido en sus alrededores.

Frente a ella, la mezquita de la Koutoubia, aislada para mostrar impúdicamente todo su esplendor (¡esta vez sí!), quedará, con su orgulloso minarete de 77 metros de altura, como un faro que fije la posición de la Plaza Jemaa El Fna. Y de nada servirá que haga honor a su nombre (kutubbiyyin significa en árabe biblioteca) conteniendo una preciosa colección de libros, entre los que destacaba un ejemplar del Corán traído por Al Moumin desde Córdoba y que, en el siglo XIII se perdió en el mar, ni que su sobrio interior aleje los excesos cercanos y sólo invite a la oración, ni que, en definitiva, ese minarete sea la imagen más conocida de todo el Magreb.

Sólo existe un modo de aislarse de la impresión que produce la Plaza Jemaa El Fna en el viajero. Pero para encontrarlo es necesario traspasar las murallas de Marrakesh por la Bab Jdid, la Puerta Nueva, y recorrer completa la rectilínea calle que discurre hacia el suroeste. Inmediatamente se descubren unos inmensos jardines donde prima el olivo como regalo permanente del sistema de rhettaras que comentaba al principio. Al fondo, un delicado pabellón, encuadrado por potentes cipreses, se mira en una balsa de aguas mansas. Es el Menara. La calma que se respira en el lugar, la atmósfera límpida que permite distinguir, a lo lejos, las cumbres nevadas del Atlas, el sosiego que provoca en el alma apresurada de quien hasta allí se llega, después de haber invertido una jornada completa en la Plaza Jemaa El Fna, no puede ser empañada por los chillidos de los niños viendo naufragar el último barco de papel depositado en el estanque, ni por las amonestaciones que les dirigen sus padres, ni siquiera por los «clics» de las máquinas fotográficas de los turistas que allí se congregan.

Otra cosa es que esa misma alma quede sobrecogida por el uso que los sultanes de Marrakesh, tan cerca como en la segunda mitad del siglo pasado, daban a este pabellón, al estanque donde contempla su coqueta imagen. Porque allí se reunía «el que todo lo puede» con sus amantes fugaces. Y las más de las veces, la mujer poseída acababa siendo arrojada a las aguas verdes de la balsa al llegar la mañana.

Y es que la posición de la mujer en el mundo árabe, igual que ocurrió con la esposa de aquel Abu Bakr, sigue sin contar para casi nada. Ni siquiera en Marrakesh.

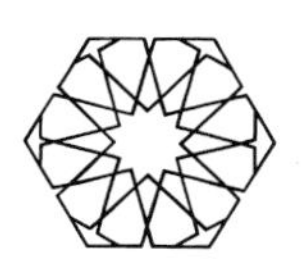

جامع كتشاوة

ARGEL

El más hermoso modo de alcanzar nuestro siguiente destino en busca del concepto árabe de ciudad es regresando a las inmediaciones de Fez. Desde allí, una carretera bastante mediocre apunta decididamente hacia el este, hacia el Oriente profundo. A la izquierda quedan las últimas estribaciones del Rif, los macizos del Kandar y Sebou; a la derecha, el Atlas Medio despide con sus postreras elevaciones los panoramas de alta montaña marroquíes. El paisaje se suaviza, se inclina por la aridez. Sólo un olivo grande y frondoso aporta señales de vida a la monotonía yerma del entorno. Cerca de la Matmata marroquí, una enorme presa rompe la uniformidad tiñendo de azul el horizonte. Y luego llega la meseta, y con ella la evidencia para el viajero de que circula por un lugar diferente, especial. Es como si la mano poderosa de algún héroe o algún dios hubieran abierto espacio entre las montañas, dejando penetrar el aire violento de las creencias, de las culturas, de los pasos marciales de los ejércitos. No hay otro lugar que lo exprese igual: los bellos cañones estériles de Taza supusieron ese pasillo natural trazado para que romanos, vándalos, árabes, almorávides, almohades y nómadas de todas las tierras norteafricanas circularan entre el mundo del Oeste y el mundo del Este. La Naturaleza es así: crea belleza y la dota de contenido práctico. Los agujeros que el Tazeka permite son la conexión imprescindible para que las civilizaciones se comuniquen, aunque sea por medio de la guerra, ese modo trágico que tienen para hacerlo. Y, tras ellos, parece necesario que el terreno consiga nuevamente la suavidad, que sea otra vez llano y muerto.

Entonces, deteniendo momentáneamente nuestro avance hacia Oriente, recreándonos en la contemplación del entorno, resulta decididamente sencillo imaginar –ver, más bien– cómo, en tiempos pretéritos, avanzaban los ejércitos invasores, en orden de combate, preparando sus armas impacientes.

Para quienes procedían en última instancia del altiplano argelino, la conquista de Taza suponía acariciar ya la posesión de Fez. Para los ejércitos procedentes del oeste, traspasar Taza era el fin de la angustia, de la amenaza de las emboscadas, de la dureza que imponen las montañas al paso de las tropas.

Hoy es sólo una imagen de desolación absoluta, y quizás en eso consista su grandeza. Los escasos oueds que se aventuran por la zona, son apenas hilillos de agua, encajonados voluntariamente entre una tierra beige y sedienta. Sólo algún ksar, en la lejanía, recuerda que ese llano infinito, alguna vez, tuvo importancia estratégica. Todo lo demás es una planicie vacía, apagada, marchita...

28. Mezquita Ketchoua.

En esas condiciones, la frontera entre Marruecos y Argelia es más un efecto administrativo que la consecuencia de una diferenciación real. La línea imaginaria que separa ambos países se sitúa exactamente en medio de ningún sitio. Y si, por el simple hecho de existir, las fronteras, todas las fronteras, suponen el monumento más preclaro a la manía que invade el corazón del ser humano de parcelar el mundo estrecho que habita, éste es el más absurdo de los ejemplos que la ilustran.

Afortunadamente, la llegada a Tlemcen, conteniendo algunas de las más célebres mezquitas del Islam y la tumba del místico español Sidi Bou Medienne, las altas tierras de olivos y vides del Chougran y, sobre todo, los numerosos pueblos que atraviesa la ruta, bordeando el altiplano, internándose en el último Atlas, reconcilian al viajero con la Naturaleza y con la Humanidad.

Los hombres –¡sólo varones!– que al atardecer inundan las calles de esos pueblos, deambulando en grupos, tomando té sentados en las terrazas de las aceras, luciendo sus albornoces marrones o negros, sugieren la permanencia de unas tradiciones ancladas en algún recodo de una historia olvidada para nuestra mente europea.

Y eso es lo que hace aún más sorprendente, más inesperada, la llegada a la Capital, a Argel. Porque después de esos pueblos, de esas gentes, no se concibe la existencia de una ciudad así. Porque, atravesando los postreros montes que separan el altiplano del mar, llegando a la rada abrigada donde se asienta la aglomeración urbana más importante de Argelia, la Geografía y la Historia dicen que seguimos en el Magreb, en el mundo del Oeste. Pero no lo parece.

Recuerdo aquella noche fría de un incipiente febrero en que me introducía en la Wilaya de Argel (provincia de Argel), después de realizar en automóvil el trayecto desde la frontera con Marruecos. Físicamente me encontraba agotado por la larga marcha. Y psíquicamente atemorizado. Los continuos controles del ejército argelino hicieron de la ruta un rosario continuo de paradas y explicaciones. El toque de queda vigente incrementaba mi dosis de angustia hasta hacerla insoportable. La confabulación integrista que infecta el Magreb con virus importados de Oriente trata de desmantelar la organización del Estado, y éste se defiende con los medios que le son propios. La noche presentaba todos los ingredientes que la hacen portadora de miedos y fantasmas al espíritu de los hombres.

Y, en esa madrugada, llegué a Argel.

Descendiendo desde los barrios altos hasta el nivel del mar, hasta el paseo marítimo, me sorprendieron los espléndidos edificios coloniales con arcadas que discurren frente a la Estación Naval. El tobogán permanente que forman los barrios periféricos de la ciudad conduce inexorablemente a ellos. La ausencia de vehículos que traía la noche prestaba un toque especial al conjunto urbano. Asumiendo que seguía siendo el norte de África, el Magreb, era como si estuviera todavía en la época de ocupación francesa, como si hubiera dado marcha atrás al reloj de los años y la ciudad permaneciera en silencio sólo por el temor a los violentos europeos de la O.A.S. o a los nacionalistas argelinos perdidos en el torbellino de la Kasbah.

Por la mañana, sin embargo, la impresión se modificó para mí y sigue modificándose día a día.

Los hermosos edificios mantienen su aspecto imperturbable, aunque algunos de ellos muestran las heridas del tiempo. Miles de vehículos renqueantes se amontonan en los bulevares construidos como bancales de asfalto. El intenso traqueteo de los trenes que circulan subterráneos es perfectamente audible. Algún barco despierta en la bahía solicitando a bocinazos graves permiso para lanzarse al Mediterráneo. Y los habitantes de Argel mudan sus ropas tradicionales por aquellas que dicta el modo europeo, circulando apresurados hacia quién sabe dónde. No se escucha el canto triste del muecín, ahogado por el ruido del tráfico. No hay apenas velos que oculten los rasgos morenos de las mujeres. Se ven más hombres con portafolios que individuos que cubran su cabeza con turbantes. Los viales son amplios, jardines esparcen verdor al gris colonial de las paredes, monumentos salpican de recuerdos nacionales las plazas... Argel es, en todo, como un calco de las ciudades que quedan mucho más altas en latitud.

¿En todo?

Argel parece una ciudad reciente, y lo es. Indisolublemente unida a la historia de una familia de piratas que, durante el siglo XVI, fueron martillo de españoles, de un pasado más antiguo no subsisten restos visibles.

Se sabe que su rada sirvió como pequeña factoría asociada a Cartago y que, a la caída de ésta, los romanos fundaron una colonia de nombre Icosium que tampoco prosperó grandemente. El dominio que sobre gran parte del norte de África ejercía la cercana Cesarea impedían el desarrollo de la nueva localidad portuaria. De hecho, vándalos y árabes, los primeros en su avance hacia el este, los segundos tanteando el Magreb, pasaron sobre ella sin prestarle más atención que la justa para destruir sus instalaciones y, hacia el cambio de milenio, bajo la dinastía Zirí, para dotarla de cierta notoriedad comercial.

Las actividades corsarias fueron las que realmente lanzaron a Argel, entonces ya llamada Al Yazair, las islas, al estrellato norteafricano. Y quienes lo hicieron posible fueron los hermanos Barbarroja.

Babá Aruy y, sobre todo, su hermano Jair Al Din, los Barbarroja, son los auténticos artífices no sólo del Argel que nos es familiar por su magnífico puerto, sino del propio Estado argelino.

La ciudad, antes ya de su exaltación, había ido recibiendo el asentamiento de muchos de los desarraigados moriscos y judíos procedentes de la Península Ibérica después de 1492. La conmoción que produjo en todo el Occidente africano esta fecha, como hemos tenido ocasión de contemplar en las otras ciudades magrebíes visitadas, alcanzó de modo muy especial las costas de Berbería, y muchos de esos emigrantes pusieron a disposición de los Barbarroja sus conocimientos y, especialmente, abrieron sus mentes a la codicia por las inmensas riquezas que transportaban los galeones españoles.

En 1516 los Barbarroja ocupaban Argel y la convertían en base de sus correrías mediterráneas, buscando protección, a cambio de sumisión, en el Imperio Turco. Evidentemente, la España victoriosa de Carlos V no podía soportar ser hostigada por una pequeña localidad perdida en África. Pero erró en la valoración de sus fuerzas: por cuatro veces, a lo largo del siglo XVI, los españoles fracasaron en su intento de tomar la ciudad, y desesperaron de intentarlo nuevamente.

Entre tanto, la ciudad se embellecía bajo la influencia otomana. La Kasbah construida en la colina se convirtió en residencia del Bey, y la Medina tortuosa que domina al norte todo el emplazamiento de la actual Argel y su puerto,

29. Desde el parque cercano al Monumento a los Martires, la vista de la aglomeración y el puerto es impresionante.

30. Edificios coloniales en la Plaza de los Martires. ►
31. Las avenidas cercanas al puerto aparecen habitualmente atestadas de vehículos.

se pobló de comerciantes y hombres de negocios. Sólo en 1830 los franceses consiguieron asentarse definitivamente en su rada, pero, para entonces, Jair Al Din era parte de los mitos norteafricanos.

La llegada de los franceses supuso un periodo de gran desarrollo para Argel, justamente el desarrollo ciudadano del que la ciudad actual es tributaria en sus edificaciones y en su fisonomía general, aunque, en definitiva, también fue aquí donde con mayor virulencia se produjo el enfrentamiento entre los dos universos contrarios que intentaban una imposible existencia común.

A partir de 1954 (y sobre todo desde la imponente manifestación del 13 de mayo de 1958) la Kasbah, que da nombre al conjunto de la Medina, fue un foco constante de sublevaciones contra el dominador francés. Los sentimientos nacionalistas encontraron arraigo allí donde quedaban agrupados la mayoría de los elementos autóctonos. Y la reacción de los habitantes francófonos de Argel adquirió un carácter tan violento como nunca antes se había visto entre colonizador y colonia: pactada la autodeterminación de Argelia, los franceses residentes continuaron por su cuenta la guerra contra los musulmanes creando la O.A.S. (Organisation de l'Armée Secrete) y participando en numerosos atentados, tanto dentro de la propia Argelia como en Francia, de los que el más relevante fue el llevado a cabo contra De Gaulle en agosto de 1962. Gran parte

de la fobia antifrancesa que aún se respira en algunos ambientes de la Capital proviene del recuerdo doloroso de las actividades de esta Organización.

La memoria de la larga lucha librada por los argelinos para obtener su independencia (la última de las naciones norteafricanas) queda firmada en piedra en la cumbre de la colina que se eleva al sur de la ciudad, en el Monumento a los Mártires.

En sí mismo, el monstruoso trípode de hormigón en forma de tres palmas uniéndose a modo de gavilla, no presenta más interés que el de su enormidad, pero, como símbolo, trata de mostrar al mundo lo que la sociedad argelina persigue con su larga marcha hacia la modernidad, hacia la consecución de un Estado con entidad y fisonomía propias, dentro del contexto de los países mediterráneos.

El problema, para mí, de éste y de todos los monumentos de su talla es que su propia grandiosidad encierra un anhelo de globalización, de contemplarlo todo por encima del bien y del mal, más allá de la aspiración individual, del deseo íntimo, del ansia privada y elemental del ser humano. Y eso siempre es así, porque cuando se manejan cifras de infinitos ceros de cualquier moneda para sacar adelante un proyecto que implica a una sociedad entera, se pierde la noción de lo concreto, todo queda en favor de una difusa comunidad, y ese ser humano solitario siente que sus esperanzas pequeñas quedan fuera de ese proyecto.

La sociedad argelina, como concepto abstracto, puede que acepte el Monumento a los Mártires como memoria de su historia, pero muchos argelinos de a pie sencillamente no lo comprenden. En su simpleza, quizás sea como dijo el taxista que me llevó en mi última visita a Argel hasta la colina donde se sitúa el Monumento: puede que el enorme coste humano y económico que supuso levantarlo hubiera estado mejor invertido en resolver pequeños y puntuales y múltiples problemas que aquejan a los miembros de esa sociedad. Pero ya se sabe que las capitales de los países –y muy especialmente las de los países en vías de desarrollo– tienen poco que ver con el conjunto de la nación y nada con sus habitantes. Y Argel es un ejemplo adelantado de ello.

Otra cosa es el parque frondoso que rodea al Monumento a los Mártires. Éste es lugar de encuentro de muchos argelinos que se dan cita allí los fines de semana. La densa arboleda típicamente mediterránea que cubre la colina, los espacios comerciales inferiores, la explanada despejada a la que mira el Monumento son superficies lúdicas donde los habitantes capitalinos se solazan y gozan del ventilado ambiente reinante. Además, las vistas sobre Argel que ofrece la colina son las más concluyentes para el visitante ocasional que desde allí puede descubrir la fisonomía física de la ciudad.

Como un gran arco tensado hacia las tierras del interior, Argel se asoma a la bahía desde las elevaciones montañosas que la rodean. Al norte, algunos altos edificios modernos intentan ser abanderados de ese camino de modernidad que intenta recorrer la nueva Argelia. Hacia el centro, las densas edificaciones de la Kasbah suponen el reencuentro con el pasado, la memoria permanente del origen y la evolución sufridos por la ciudad en su acontecer histórico. Y, el resto, desde esa altura, es la imagen convencional de una gran urbe portuaria: casas decrépitas, producto de una planificación unificadora, que, como las de la Ciudad Nueva de Fez, contrastan con la actividad frenética que se adivina en el puerto.

Vista así, Argel no parece distinta a cualquier ciudad sureña de Europa volcada al mar: el mismo tipo de vegetación mediterránea salpicando de granos de verdor iguales plazas, el mismo tono blancuzco y sucio de las edificaciones, idéntico rumor permanente de vehículos, similar sensación de agobio ciudadano, de prisa incontinente, de precipitación, de urgencia en todo y hacia todo, de monotonía infinita.

¿Es éste el legado del colonizador? ¿Es así la influencia que ejerce la vieja Europa sobre los países que la miran, con respeto o envidia, desde sus intentos de desarrollo?

A veces las respuestas radicales, teñidas del terror que genera la intransigencia, contienen desde su barbarie una cierta lectura positiva. Los fundamentalistas islámicos, en su lucha frontal contra la modernización, envían, certificados con sangre, claros avisos a las clases dominantes en todos los países musulmanes: que no se puede olvidar el pasado, que la vía occidental es fruto de aquella cultura y no de ésta, que no pueden trasladarse sin más corolarios válidos para unas naciones a otras... El problema está en encontrar el justo medio, la dosis exacta de modernidad sin romper con el pasado, y en ello se debaten todos los gobiernos de las naciones norteafricanas, cada una buscando a su modo despejar las múltiples incógnitas planteadas por la ecuación del progreso.

Y precisamente, en Argel, todo ello queda patente en cuanto se desciende de la colina del Monumento a los Mártires y se accede al nivel de calle, a la ciudad real.

A poco que el viajero esté atento a lo que ocurre a su alrededor, notará cómo todo lo que observa, el apresuramiento de las gentes, el mismo circular desenfrenado de los vehículos, las oficinas, los comercios, todo lo que se mueve, sean hombres o máquinas, sabe a descolocado, a fuera de lugar y de ambiente, en un mundo que tiene una vocación distinta, y en el que las tradiciones importadas del norte pelean por anular las que le son propias.

Pero la constatación de esa circunstancia no impedirá que la ciudad le resulte atractiva. De hecho, en muchos momentos, considerará que no ha abandonado los aledaños de la propia, mientras que, en otros, descubrirá rasgos propios y distintivos, una personalidad diferencial. Y, de ahí, ese carácter especial que Argel entrega al viajero, esa sensación de *bonne vivre* que destila. Aunque, en el fondo, todo es como un gran decorado, como un mundo estanco y aislado de su propio mundo, como un billete perfecto pero falso, como una cara de rasgos canónicos pero falta de atractivo, como un ciego que busca a tientas su imagen en un espejo...

Diferente consideración merece la vieja Medina, la Kasbah, como algunos prefieren nombrarla. Ése es un lugar que requiere una visita en profundidad, que aspira a que el visitante se empape de su esencia. Pero nunca en solitario. La Kasbah es sórdida y, a menudo, peligrosa. No le estoy contando una película con riesgos exóticos como argumento, ni pretendo introducirle en el rodaje de un anuncio de perfume para el hombre de acción. Le hablo de la realidad cotidiana de un mundo cerrado e impenetrable. Le hablo de una tradición de aislamiento y variación y desmarque conscientes. Ya le comenté más arriba cómo, durante la guerra de independencia, la Kasbah se convirtió en un foco epidémico de resistencia al dominador francés que se veía imposibilitado de contenerlo. Y las cosas no han cambiado. Ladronzuelos y fundamentalistas encuentran su hábitat natural en los tortuosos viales de la Kasbah, confun-

34. La mezquita nueva.

◄ 32. La Kasbah es un impenetrable laberinto de sordidas callejuelas.
33. Contemplada desde las alturas, pocas diferencias pueden observarse entre Argel y cualquier ciudad portuaria europea.

diéndose a veces sus actividades. Muchos extranjeros –yo mismo–, animados de un afán de descubrimiento en solitario, han pagado su alarde fotográfico e inquisitivo en el fondo de la Medina con el robo de sus pertenencias... o algo peor.

Pero la prudencia no debe impedirle la visita a la Kasbah. Si así lo hiciera, perdería gran parte de sus remotas posibilidades de comprender algo de esta ciudad. La alternativa, en este caso, es doble: o confiarse a uno de los taxistas –toda una institución en Argel– que se sitúan en las cercanías de los hoteles más importantes, o tomar un guía de los muchos que se le ofrecerán en la Plaza Sheik Ben Badis, frente a la Mezquita Ketchaoua. En ambos casos, la compañía le otorgará seguridad y la posibilidad de orientarse a través de las calles de la Kasbah.

La visita del Argel antiguo debe iniciarse necesariamente desde la Plaza de los Mártires. Ésta es una enorme explanada, bordeada de hermosos pero agonizantes edificios con arcadas, construida por el expeditivo método de demoler las edificaciones anteriores allí existentes y que constituían la parte inferior de la Kasbah. La plaza, hoy convertida en una enorme y caótica estación de autobuses, es el lugar de encuentro de todos los mundos que componen Argel.

35. Monumento a los Mártires.
36. Escultura en bronce de un soldado bereber en el monumento a los mártires.

Aquí rinden viaje los bulevares marítimos que bordean la Estación Naval. Aquí llegan algunas de las calles que contienen recuerdos de la presencia turca, en forma de mansiones de pequeñas ventanas y miradores suspendidos sobre las aceras. Y en sus alrededores quedan las más famosas mezquitas de Argel que, con sus minaretes intentando horadar el cielo laico de humos de automóviles que cubre la ciudad, recuerdan a los creyentes que éste sigue siendo aún un país musulmán.

En una primera aproximación, la Kasbah, que inicia sus rampas en las inmediaciones de la Plaza de los Mártires, es un conjunto de calles estrechas, oscuras y cuyos edificios sólo se mantienen en pie por puro empeño. Pero hay varias cosas que notará el viajero atento apenas se introduzca por ellas, y que la diferencian notablemente de las medinas recorridas hasta ahora por el Magreb: Existen pocos establecimientos comerciales. La agobiante presión de las tiendas, situadas puerta con puerta, vistas en Fez o Marrakesh, en Argel no se da, y, las que hay, no guardan ninguna relación con los turistas que puedan llegarse hasta ellas desde el exterior. La Kasbah no parece querer ni apreciar la mirada admirativa o asqueada de los extranjeros, ni interesarse por su aporte dinerario.

Falta también la aglomeración humana que distingue a las otras medinas. Hay momentos en que se puede circular en absoluta soledad –excesiva soledad a veces– por el laberinto que forman las calles, lo cual incrementa la sensación de desamparo que se respira a lo largo de toda la visita.

Finalmente, notará el viajero cómo sutilmente va haciéndose desaparecer la Kasbah. Las demoliciones de edificios comenzaron durante la ocupación francesa. (Ya he comentado que la Plaza de los Mártires es un solar robado a la Medina.) Y el afán destructivo de lo esencial de las poco sólidas edificaciones continúa. Desde mi primera visita a la ciudad, a finales de los sesenta, hasta la última, veinticinco años después, la fisonomía de la Kasbah ha ido cambiando hasta casi convertirse en irreconocible para mis recuerdos originales. Es un trabajo inexorable que avanza de abajo a arriba, desde los aledaños del puerto y los bulevares, hacia la fortaleza de la cumbre de la colina, como una ola marina erosionando imperceptiblemente las rocas más cercanas al mar.

Frente a ella, recorrer la ciudad nueva que se extiende hacia el sur, con sus inacabables obras de construcción del «metro», elegantes restaurantes, atareadas oficinas y concurridas zonas peatonales, supone un contraste imposible de asumir conscientemente por el visitante. La comprensión entre ambos mundos, tan cercanos físicamente, tan alejados en el sentimiento, no puede darse. Ambos pugnan por sobrevivir en un ambiente que, en ninguno de los dos casos, le es propio. Buscan su identidad perdida en la maraña del progreso. Llevan las riendas de un enorme país donde los habitantes del desierto meridional ni siquiera pueden soñar que exista en su nación una ciudad parecida a Argel, donde los bereberes kabileños siguen aferrados a sus montes inaccesibles y a sus aldeas autosuficientes, donde el norte fértil mira ansiosamente las grandes extensiones agostadas del sur y sus devaluados frutos petroleros. Y Argel se debate entre todo ello. Su contradicción interna es la que emana del conjunto de la nación. Demasiado grande, demasiada indefinición, demasiadas diferencias étnicas, culturales, vitales... Argel es la punta del iceberg, el clavo allí donde pugna por asomar, resumen, compendio, globo sonda de una nación que sólo se diferencia en dos letras del nombre de su Capital. En dos letras y en una dimensión, la espacial, pero no en su persecución implacable de identidad.

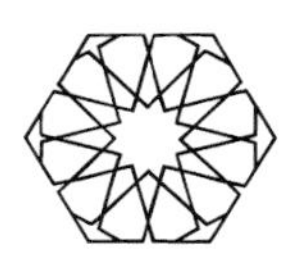

DJEMILA

Dejar atrás Argel, sobre todo si se avanza hacia el sureste, es regresar a los pequeños pueblos atestados de gente, a las mediocres carreteras, a los albornoces de pelo de camello o lana de oveja, a los montes fértiles... a la Argelia real.

El macizo montañoso del Djurdjura se levanta majestuoso, con sus cumbres nevadas, en un paisaje más propio de Centroeuropa que de la imagen estereotipada que sugiere el Norte de África. En medio de esas elevaciones cuyo conjunto forma la Gran Kabilia se esconden, sedentarizados en los pequeños pueblos que jalonan la ruta o seminómadas en las aldeas de montaña, la mayor concentración de bereberes de todo el Magreb. Se trata de hombres fuertes, libres, cuyo desacuerdo con el poder establecido durante toda su historia ha jalonado estos montes de escenas de sufrimiento y muerte.

Para los franceses, la Gran Kabilia fue motivo constante de preocupación, las sublevaciones permanentes hicieron que los colonizadores cometieran la crueldad de asolar los bosques kabileños con bombas de napalm. Pero los árboles vuelven a cubrir hoy los montes, el verde tapiza de nuevo la tierra hasta donde se lo permiten las nieves, y el orgulloso bereber sigue empeñado en mantener su lengua, sus costumbres y su peculiar modo de entender la existencia.

Más adelante, con sus contrafuertes rocosos cayendo abruptamente al mar, la Pequeña Kabilia queda partida en dos por las impresionantes Gargantas de Kherrata. El Djebel Babor mira con tristeza cómo la vieja carretera que brujulea entre ellas va progresivamente desdibujándose, haciéndose más y más intransitable, debido a la construcción de un puente (el más largo de África, dicen) y un túnel oscuro y ruidoso que la hacen innecesaria y, por tanto, no sujeta a mantenimiento, a despecho de los espectaculares paisajes que descubre a su paso.

Inmediatamente después de las Gargantas, un mal señalizado desvío a la izquierda conduce, entre suaves lomas perfectamente roturadas para el cultivo de cereales, hacia una de las más reconfortantes sorpresas que contiene el Norte de África: Djemila. Lejos del concepto de ciudad que vengo manejando desde el principio de estas páginas. Lejos en lo físico, en el tiempo, en el espíritu...

Porque, muy a menudo, hablar de ciudades magrebíes supone detenerse en aquellas que han sido objeto de las líneas de tinta que preceden a éstas, desde que cruzamos el Estrecho de Gibraltar hasta Argel. A ellas se suelen añadir localidades como Orán, Tánger, Casablanca o Rabat. Pero siempre es la ciudad

37. Decumanus maximus.

árabe con las peculiaridades que la distinguen frente a las demás. Siempre son los matices del Islam.

Sin embargo, la historia norteafricana no llega, viajando atrás en el tiempo, exclusivamente hasta el advenimiento de los árabes, animados de empeño evangelizador. En realidad, la invasión tumultuosa de las tropas musulmanas supuso un freno, una mordaza, el silencio para otras culturas que ennoblecían la zona con sus ciudades desde mucho antes. Los vándalos ya lo habían intentado, pero se trataba de pueblos con escasas veleidades civilizadoras que, de alguna manera, asumieron lo que encontraron a su paso o, sencillamente, lo destruyeron. Pero la actitud árabe fue definitiva, ellos abanderaban su propia Civilización, requerían rodearse del entorno que les era familiar, no podían permanecer sobre los pilares de una cultura caduca, cerrada, muerta en su opinión. Y acabaron con ella, para edificar la suya propia.

Unas veces fundaron sus ciudades sobre los cimientos de las antiguas, haciéndolas desaparecer totalmente, pero otras, para fortuna de los viajeros del futuro, simplemente dejaron que murieran lentamente, que se desmoronaran, que sus habitantes abandonaran su asentamiento como las hojas se despiden en otoño del árbol que les dio vida: despacio, sin dolor, voluntariamente.

Ese es el tipo de acontecimientos que hacen felices a arqueólogos e historiadores, porque el abandono progresivo de una ciudad permite su reconstrucción futura. Y, en esta región, difícilmente puede encontrarse continuidad en el acontecer vital de sus ciudades después de la Edad Media. La ruptura fue total. Las nuevas poblaciones se situaron lejos de las que habían sido romanas, mientras que muchas de las antiguas quedaban olvidadas, perdidas en sus ignotos asentamientos.

Y digo romanas porque resulta inconcebible la acumulación de *civitates* dependientes del Imperio Romano que se edificaron en la franja más o menos costera que hoy ocupan los tres países del Magreb y Libia. Hasta seiscientas cuentan los arqueólogos. Y la mayor parte de ellas contenían un núcleo urbano importante.

Pero ¿cómo fue que los romanos acabaron poblando de tal manera el Norte de África?

Dos parecen buenas razones para ello: una de carácter humano y otra, más prosaica, de índole económica.

Para muchos ciudadanos romanos del Imperio, el único medio de promoción social –y casi de ganarse la vida– consistía en enrolarse en el ejército. Pero la organización militar romana, sujeta al traslado masivo de sus centurias hasta los confines del mundo mediterráneo y aun fuera de él, no podía permitirse el dispendio de formar soldados para utilizarlos durante cortos periodos de tiempo. Por ello, el servicio que prestaban los legionarios se extendía por veinte o más años, en los que aquellos hombres viajaban hasta lugares que nunca soñaron que existían, conviviendo con gentes de culturas extrañas y absorbiendo como esponjas los estímulos de civilizaciones y modos de vida que les eran ajenos. La vida militar, además, influía enormemente en su desarrollo como seres humanos, de tal forma que, a su licenciamiento, eran hombres desarraigados, faltos de motivaciones para sobrevivir e imposibles para integrarlos en las *civitates* de la bota italiana. En definitiva, regresaban convertidos en una molestia para el orden romano a quienes, en el mejor de los casos, había que mantener hasta su muerte.

¿Por qué no regalarles tierras alejadas de la Metrópoli y auxiliarles en la creación de un asentamiento nuevo, regido por instituciones que no les resultaran extrañas?

¿Y porqué no en África? La franja litoral norteafricana es extraordinariamente fértil, excepto en algunas zonas de Libia. Y la *civitas* no sólo debía consistir en una agrupación de colonos en torno a un centro de población donde mantenerlos recluidos. Al contrario: debía ofrecer trabajo a los nuevos pobladores. La organización de la agricultura consistió en grandes latifundios con un flexible sistema de arrendamiento denominado «colonato». Los excedentes agrícolas podían nutrir a la exigente Península italiana y ésta, a cambio, colaboraba económicamente al mantenimiento de las colonias.

Desde luego ésta no era una situación exclusivamente africana. Otras colonias del mundo romano respondían a idénticas motivaciones. Incluso algunos asentamientos de la región puede que no tuvieran nada que ver con el doble pretexto indicado.

Los romanos comenzaron a establecerse en África en un momento tan temprano como la destrucción de Cartago en el 146 a.C., aunque la auténtica política de romanización no comenzó hasta el advenimiento de César y su sistemático empeño de crear colonias africanas. Y, puesto que esta política se mantuvo durante todo el Imperio, resulta evidente que no siempre puede considerarse que los veteranos–agricultores respondían al tipo único de colono.

Pero sí en Djemila.

La zona en que se situó la colonia era tan excepcional que permanecía habitada desde la prehistoria. Dos ríos, el Guergour y el Betame, enmarcan el saliente rectangular, rocoso y ventilado donde se roturó el terreno de la futura ciudad. El perímetro urbano fue rodeado por una muralla de piedra y en su interior se trazaron las calles principales siguiendo en lo posible el esquema romano, es decir, una gran vía que enlazaba directamente las puertas Norte y Sur, y otras que corrían más o menos perpendiculares a ésta. El Foro con la Curia, el Capitolio y las Termas, y una excepcional Plaza de Mercado formaron la dotación inicial de la colonia.

Desde ese comienzo, Djemila (o Cuicul, como se la conocía en la antigüedad) prosperó rápidamente. Se puede decir que todo estaba preparado desde mucho antes para que así fuera: El clima bonancible, barrido de frescor en verano, libre de excesivos rigores en invierno; fertilidad desbordando las tierras circundantes; agua abundante y fácilmente obtenible; incluso la promesa permanente de tranquilidad frente a las incursiones de los nómadas del desierto, de la que no podían gozar otras colonias más meridionales...

Tal era el poder de atracción que ejerció la ciudad sobre sus posibles moradores que pronto desbordó los límites impuestos por las murallas que abrazaban su primera fundación: un nuevo núcleo se hizo necesario construir hacia el sur, el único espacio disponible en el estrecho morro enmarcado por el Guergour y el Betame. Nuevos edificios públicos y privados abrieron sus puertas a la masiva llegada de habitantes.

38. Los montes Djurdjura separan las regiones costeras de Argel del desierto meridional. ►
39. Panorama del conjunto de las ruinas y su emplazamiento.

40. Foro. ►►
41. Teatro construido en la ribera del Oued.

Durante el siglo III, Caracalla y, antes que él, su padre, el libio Septimio Severo, destinaron amplios presupuestos al embellecimiento de la colonia, de forma que doscientos años después de su fundación Cuicul era considerada una de las ciudades más importantes del mundo provinciano romano. Y una de las más hermosas también.

A la actividad económica inicialmente agrícola y ganadera, se sumó la textil, como queda atestiguado por la existencia en las ruinas de un bazar dedicado a la venta y exportación de telas y vestidos y de dos tintorerías. La lana de Cuicul era de excelente calidad y los abundantes rebaños de ovejas cuidaban de que no se agotasen sus existencias. Nuevas termas, mayores y mejor dotadas que las preexistentes, se situaron en la ampliación del casco urbano. Un hermoso templo, dedicado a los benefactores Severo, se levantó igualmente extramuros. La ciudad miraba al futuro con optimismo. Ninguna preocupación insalvable parecía oscurecer el horizonte de progreso que disfrutaban sus habitantes. Incluso la llegada impetuosa al Imperio del cristianismo alcanzó Cuicul sólo para mejorar su dotación ciudadana.

A principios del siglo V, un barrio cristiano nacía al este del Decumanus Maximus frente a las Grandes Termas. Se edificaron dos iglesias, un baptisterio, una capilla, la residencia del obispo y casas, casas para los nuevos ciudadanos.

La oferta de Djemila (o Cuicul) seguía siendo tan atractiva para todo aquel que la contemplaba como lo había sido más de tres siglos antes para sus fundadores. Sin duda las condiciones de vida superaban con mucho en calidad a las del Sur de Europa. El clima, la fertilidad de la tierra, el aire puro de alta montaña y la delicadeza del paisaje seguían siendo sus puntos fuertes. La lejanía de los centros de decisión, el relativo aislamiento que se respiraba en la ciudad eran más una ventaja que un inconveniente, dada la inquietud que se vivía en

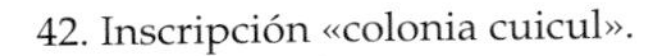
42. Inscripción «colonia cuicul».

el agonizante Imperio. Bizancio crecía en poder, despojando a Roma de su soberanía mediterránea. Los bárbaros amenazaban todas las fronteras fundando anhelos secesionistas. Las legiones difícilmente podían contener tanta sublevación, tantas tensiones, tantos focos de insurrectos.

Pero todo eso ocurría del otro lado del mar. Y las noticias, entonces como ahora, corrían más deprisa que los ejércitos. Podía conservarse la calma en la colonia. Ninguna amenaza inminente. Ningún escollo especial en el comercio. Los negocios mejoran en tiempos de crisis porque las intrigas no dejan espacio libre a la producción, y quien se da cuenta de ello prospera. Y Djemila no tenía más veleidad que mantener su nivel, seguir adelante en su desarrollo, al margen del Imperio...

Un día, o durante algunos días, o a lo largo de breves años, todo acabó.

Poco a poco las nobles piedras de Djemila descendieron de sus bases, las termas dejaron de funcionar, se desmanteló el templo de los Severo, el Foro ya no acogía las discusiones de los ciudadanos, en la plaza del mercado no comparecían clientes ni comerciantes ni mendigos...

¿Qué había ocurrido?

Ésta es siempre una pregunta de arriesgada respuesta. Salvo en casos evidentes como Pompeya o Herculano, donde un cataclismo natural acabó con la vida de ambas ciudades, pocas veces se encuentran razones totalmente convincentes para justificar el abandono de una ciudad. En el caso de Djemila, ningún volcán, terremoto o modificación ambiental importante puede argumentarse como origen de su decadencia. La región donde se asienta permanece con similares características físicas a las de hace dos milenios. Tampoco cabe hablar de invasiones, de bárbaros asaltos o de destrucción total por los hombres de la guerra...

Y, sin embargo, acabó. Los sillares de sus edificios fueron utilizados para otras construcciones fuera del recinto ocupado por Djemila. Pronto no quedó entre sus murallas ni el recuerdo de que alguna vez estuvieron habitadas. Ralos hierbajos, el polvo arrastrado por el viento del sur y el olvido cubrieron sus restos arruinados. Sólo el morro rectangular, entre el Guergour y el Betame, convertido en tierra de pastoreo, seguía apuntando imperturbable hacia el norte, hacia los montes redondos, hacia el mar que un día trajo la vida a Djemila, hacia la Roma desaparecida...

Fortuna para el futuro. Piquetas de arqueólogos italianos y argelinos excavaron el asentamiento. ¿Quién de entre los bereberes que pueblan la vertiente sur de la Pequeña Kabilia no sabía que allí, debajo de las pisadas de sus ovejas, se movía aún la vida que pobló aquella pequeña elevación trapezoidal? Pero, ¿a quién interesan unas ruinas más, otro grupo de piedras romanas? ¡Cómo si no hubiera suficientes en Italia y en Hispania y en las Galias, en todo el Mediterráneo civilizado! ¿Quién estaría dispuesto a dejarse inmensos presupuestos en resucitar una ciudad muerta entre las montañas argelinas?

Excavar es caro. Muchas veces, como en Knosos, Troya o tantos otros lu-

43. Cabeza de Zeus encontrada en las ruinas. ►
44. La estructura de los puestos del mercado es perfectamente identificable.

45. Capitolio detrás del arco de acceso. ► ►

gares, sólo el empuje de aficionados resueltos a empeñar su vida y su hacienda en el descubrimiento de pobres vestigios del pasado ha logrado desenmascarar la labor de ocultamiento paciente llevada a cabo por los siglos. El arqueólogo es (tiene que ser) un romántico empedernido, un enamorado de las femeninas piedras que la erosión moldea, un vicioso del descubrimiento menudo. Y, en Djemila, trabaja despacio, a oleadas. ¡Aún queda tanto por robar al olvido! Pero lo que ya está en la superficie hiere la vista. El panorama que se contempla del conjunto de las ruinas desde la pequeña elevación cercana al Museo es sobrecogedora.

En primer plano, en inaudito estado de conservación, aparecen las dos basílicas cristianas y el baptisterio. El esquema urbanístico romano aparece perfectamente identificable aunque modificado por la situación física de la ciudad. El Decumanus Maximus corre rectilíneo buscando el norte, aunque se equivoca en algunos grados. Calles perpendiculares nacen desde él. Edificios perfectos hasta dos, tres y cuatro metros cubren la colina. E incluso en la distancia resulta posible encontrar el uso que se daba a algunos de ellos. El Arco levantado en honor de Caracalla, los restos del Capitolio, de los templos de Júpiter, Juno y Minerva, del dedicado a los Severo... esparcen de piedra beige, meticulosamente alineada, amontonada, unida, el inmenso rectángulo.

Desde esa pequeña atalaya resulta imposible mantenerse ecuánime ante semejante imagen. Hasta el más insensible de los humanos queda preso de la vieja Cuicul. Porque todo ayuda. Porque si la visita se realiza en invierno los montes nevados, hacia los que apunta la ciudad, como proa inmensa de bajel, subliman la majestad del emplazamiento. Porque, si es verano, la humedad que brota de los ríos y de un cielo que no descansa, impide que se agoste el verde vivo. Porque la soledad del lugar (¿a quién, a quién interesan más piedras romanas?) colabora al ensimismamiento, a la concentración, a volar en dirección contraria al tiempo hasta los primeros siglos de nuestra era.

¿Cómo no ver a los suplicantes entrar atravesando la plaza al templo de los Severo y, en el gran patio central, asistir a las ceremonias religiosas y a los sacrificios obligados por la liturgia politeísta romana? ¿Cómo no acompañar con los ojos de la imaginación a ese grupo de jóvenes que penetran en las Grandes Termas, ese placer del que no podían prescindir los romanos, por lejos que estuvieran de su patria original? Y ¿por qué no acudir a la Curia? Allí se expende justicia elemental, al instante.

Caminar, caminar sin prisas, deteniéndose aquí y allá, buscando explicaciones y sólo encontrando preguntas. El Decumanus, el Cardo. Calles y calles. La mujer árabe que asciende apresurada por el Decumanus es tan ajena a este lugar como un vendedor de corbatas en la Plaza Jemaa El Fna de Marrakesh. Quizás tan ajena como el mismo visitante. Como usted, como yo. ¡Pero es tan sencillo dejarse seducir por la belleza del lugar! ¡Es tan evidente intuir la vida relajada de sus doce mil habitantes, en el momento de máximo esplendor de la ciudad!

El mercado, detrás del Foro, con sus más de seiscientos metros cuadrados de superficie, parece que aún ayer contenía los productos alimenticios que solicitaba el ama de casa romana. Aun hoy aparece rodeado por sus dieciocho puestos de piedra. Aun hoy conserva la mesa de medidas de patas esculpidas. Y la vieja prisión, junto a la Puerta Sur. Llanto y expiación. Y, colina abajo, sin dejar el Decumanus, queda el burdel local, identificado ahora y entonces por el símbolo fálico. Algunos bajorrelieves en las paredes del Foro muestran con asombrosa fidelidad y realismo escenas de sacrificios rituales. El Arco de Caracalla, el Capitolio, la casa de Europa, la de Baco... tantas y tantas obras maravillosas sin un sentido práctico absoluto...

¿Por qué los romanos embellecían así sus ciudades? ¿Quién pagaba templos, monumentos, arcos...? ¿La elite local? Los potentados romanos del Imperio invertían sus ganancias tanto en las mansiones privadas como en las obras públicas. Nunca nadie amó a su ciudad como el patricio romano. ¿Megalomanía o respeto hacia el entorno en que vivía? ¿Deseo de perpetuarse en piedra o auténtica intención de beneficiar a sus conciudadanos? ¡Qué más da! Los resultados son lo importante. Y en Djemila saltan a cada paso y nublan la vista en el pequeño Museo, cercano a la verja de entrada a las ruinas, construido por la misión italiana. Todo lo perecedero de Cuicul se ha trasladado allí, de forma que techos, paredes y suelos están cubiertos de coloridos mosaicos robados a la tierra y reordenados en espectacular puzzle.

Quizás no encuentre el visitante en ese pequeño edificio el mimo en la exposición a que está acostumbrado en los grandes museos europeos. Puede que las mínimas explicaciones que contiene le ayuden poco a comprender el significado de lo que observa. Pero casi es mejor que así sea. Porque podrá maravillarse con la evidencia. Sin buscar ni recibir explicaciones.

Y si, después de la obligatoriamente apresurada visita a Djemila, aún le quedan posibilidades de maravillarse, le haré un favor: debe regresar al Decumanus, caminar por el empedrado hasta la Plaza de Severo. Junto al Templo nace una senda que baja al río. Al poco, descendiendo por ella, verá un pequeño teatro con su aforo para tres mil espectadores intacto. Es el momento de escoger un asiento, sentarse y permanecer en silencio. Escuchará el rumor del torrente cercano, y a sus oídos le parecerán aplausos: la representación ha terminado hace dieciséis siglos, pero seguro que puede imaginar sin esfuerzo lo que pudo ser en semejante marco, una obra, cualquier obra, de los autores clásicos. Luego, debe hacer como hace el teatro: mirar nostálgicamente al río...

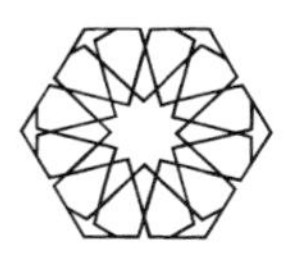

TIMGAD

Si el acceso desde el Oeste ya deparaba un panorama bucólico en extremo, dejando la vieja Cuicul hacia El Eulma, la riqueza de la región se revela en cromático efecto haciendo huir aún más de la mente el deseo de dejar el solar que acogió a sus ciudadanos. Son pequeños bosquecillos de pinos oscureciendo el verde que cubre las humanas colinas, minúsculos y claros oueds parcelando el fondo de los valles, campos de cereales acunados por la brisa fresca que trae aromas marinas atravesando la Pequeña Kabilia, huertas de legumbres, pastos que acogen a pastor y rebaño... Y, todo ello, acariciado por un ambiente suave, lejos del tórrido sur, lejos del gélido norte, en el justo medio climático...

Sí, se hace difícil asumir el abandono de Djemila. Y complicado de justificar. Sobre todo porque estamos acostumbrados a considerar razones de índole militar o ambientales como las exclusivamente válidas para que algo así ocurra. Nuestra mente –y todavía más nuestros sentimientos– se niegan a aceptar que algo que no sea la catástrofe total, el colapso absoluto, impulse a dejar definitivamente el hogar ancestral, el reducto más íntimo donde el ser humano se siente cómodo, rodeado de los elementos que le son conocidos y que le sirven de referencia. Y, sin embargo, todas las evidencias disponibles apuntan hacia una destrucción progresiva pero imparable de parte del urbanismo romano hacia el final del siglo IV en el conjunto de la provincia norteafricana del Imperio.

Si no fue la guerra, si no fue el deterioro ambiental, ¿qué otra fuerza incontrolable queda? ¿La religión?

Se hacen complicadas de digerir las afirmaciones rotundas, las conclusiones absolutas, los argumentos incontestables, sobre todo porque los datos que nos alcanzan a través del tiempo siempre son incompletos, fragmentarios, poco concluyentes. Sobre todo porque no hay razones que todo lo justifiquen. Científicos y eruditos buscan siempre esa razón última, sin darse cuenta de que muchas veces –o siempre– ese dato sencillamente no existe. En ocasiones es el sentimiento, la desilusión, la falta de motivaciones profundas lo que desanima al corazón humano a seguir avanzando, defendiendo lo que le es propio. Ocurre cada día, en la vida cotidiana y repetida del hombre, ¿por qué no iba a ocurrir en la Historia? Y el sentimiento religioso es uno de los más firmes que anidan en el alma de las gentes.

Y éste, que es un recorrido más sentimental que científico por las ciudades mediterráneas, tiene necesariamente que detenerse precisamente en esos aspectos.

46. Los paisajes del Aurés, cerca de Timgad, esconden hermosos oasis de montaña.

Por eso, igual que hicimos con Marrakesh, del mismo modo que nos alejamos del mar en aquella ocasión para penetrar un poco más en el alma urbana producto del Islam, tenemos nuevamente que viajar hacia el sur, buscando otro reducto, esta vez unido a otra cultura, donde avanzar un poco más en la comprensión de esa ciudad anterior, de la urbe que no consiguió continuidad con la llegada de los árabes, con un mundo que se truncó hace mil quinientos años. Progresiva, pero imparablemente.

La ruta en esa búsqueda nos lleva hasta Constantina. Ese «nido de águilas colgado de un risco», como la definió Alejandro Dumas, es una hermosa ciudad que incluye en su recinto todas las contradicciones vistas en Argel. Pero su dimensión es más accesible, y su emplazamiento inolvidable, aunque aquí no se encuentren las respuestas que buscamos.

Hacia el sur, la carretera se estira, pierde ensoñación y gana aridez. El desierto llama ya a las puertas del norte y su grito parece que no va a poder ser contestado. La luz que ofrece esta región de Argelia no tiene comparación con ninguna otra: guarda la transparencia propia de los paisajes montañosos, junto a la ausencia total de vida suspendida que provoca el Sahara mortal. Los montes se suavizan rápidamente hasta convertirse en llanura. Muy pocos pueblos saludan el paso apresurado del viajero, escaso tráfico le acompaña. El trayecto entre Constantina y Batna tiene algo de provisional, de necesario pero, curiosamente, prescindible.

Y, sin transición que los anuncie, comienzan a dibujarse en el horizonte. Los Montes Aurés, el macizo montañoso que supone la última separación entre la vida del norte y el infinito desierto alcanzan la vista inesperadamente, como surgiendo de la nada. Y nuevamente llegan las nieves en las cumbres. Y el ánimo del viajero se desconcierta tanto como sus miembros ateridos cuando ya comenzaba a caldearlos un sol brillante y desconocido para él. El cielo torna al gris, el paisaje al blanco, la tierra cercana al verde, mientras que la tez de los hombres continúa su viaje hacia un notable y progresivo oscurecimiento. Los Chaouia, tribu bereber que conserva con idéntico ahínco que sus hermanos kabileños las tradiciones de su raza, pueblan las alturas. Batna, por el contrario, es una ciudad exenta de todo atractivo, salvo por el emplazamiento que ocupa y el clima fresco y bonancible que sus más de 1000 metros sobre el nivel del mar le otorgan, a pesar de encontrarse tan baja en latitud.

Cerca queda Timgad.

En nuestro tiempo no resulta extraño encontrar carreteras que, en mejor o peor estado, alcancen todos los rincones del globo. La imagen de viajeros de la Edad Media –e incluso de tiempos mucho más modernos–, desplazándose por inmensos desiertos, atravesando montañas por desfiladeros intransitables y cruzando selvas peligrosas, inunda muchas veces nuestro espíritu, ávido de aventuras, de imágenes extrañamente sugerentes y deseos imposibles. Pero esas imágenes tampoco se ajustan exactamente a la realidad. Las rutas comerciales y militares desde la antigüedad estaban perfectamente definidas y trazadas. El Imperio romano concretamente realizó un enorme esfuerzo en la construcción de larguísimas vías que permitían la conexión rápida entre los más alejados puntos de sus dominios. Las huellas de estas vías permanecen aún visibles en todo el entorno mediterráneo, desde los alrededores de Alepo, en Siria, hasta los Pirineos. Y el Magreb no fue una excepción: desde Tingis, la actual Tánger, hasta Leptis Magna, ya en tierras libias, toda la franja costera norteafricana quedaba cubierta por las rutas romanas. Más al sur, la necesidad de defender las fronteras meridionales del Imperio hizo igualmente imprescindible el trazado de caminos que conectaran los diferentes castra (campamentos de legionarios) que se situaban en los bordes de las regiones predesérticas dominadas por los jefes númidas. Uno de estos campamentos era Thagumadi (Timgad) que vigilaba un paso de importancia estratégica decisiva hacia los montes Aurés.

El *castrum* romano se establecía siempre de igual manera: dos calles principales (*Decumanus* y *Cardo maximus*) que se cortaban exactamente en el centro, donde se situaba una plaza conteniendo el cuartel general. Los dos viales principales quedaban subdivididos por calles más estrechas perpendiculares a ellos que partían todo el área cubierta por el campamento en pequeñas cuadrículas donde se colocaban las viviendas de los legionarios. Todo el conjunto se rodeaba de empalizadas que permitían una relativa seguridad frente a los ataques que podían provenir del exterior.

En sí mismo, el *castrum* era el germen de una ciudad. Los largos periodos de asentamiento obligados por la milicia romana hacía que los soldados trocasen sus tiendas por edificaciones más sólidas y que, una vez acabado su periodo de servicio activo, permaneciesen de por vida en aquel lugar.

A fuerza de habitar en él, el campamento se convirtió en hogar permanente. Y es ésa una circunstancia que no debe sorprender. El legionario, convertido por el simple paso del tiempo en veterano, en la mayor parte de los casos faltaba de su lugar de origen desde la juventud. Allí no había amigos, ni familiares, ni siquiera lugares donde alimentar sus recuerdos. Toda su vida pertenecía al ejército romano. Todas sus relaciones eran las que consiguió como soldado. Probablemente contara con mujer e hijos criados en los alrededores del *castrum*. Y sabía que su regreso a la península italiana no era bien aceptado por las clases dirigentes. Si, a todo ello, unía las facilidades para adquirir hacienda que le otorgaba el Estado en las colonias, el cuadro no podía dejar de resultarle atractivo.

Así nació como ciudad Timgad, y así lo hicieron otras muchas colonias de veteranos.

A Timgad se la ha apodado como la Pompeya africana, aunque desconozco la razón, puesto que ni su fisonomía tiene nada que ver con la de la ciudad cercana a Nápoles, ni la tipología de sus habitantes se corresponde con la de aquellos, ni sus historias guardan paralelismo alguno. Supongo que son formas de hablar que tratan de potenciar la imagen del objeto comparado, aunque, bajo mi punto de vista, justamente consiguen el efecto contrario. Decir que Brujas es la Venecia belga o que Siracusa es la Atenas siciliana hace un flaco favor a las dos ciudades equiparadas. Tanto Brujas como Siracusa no necesitan confrontación alguna para merecer la admiración de cualquiera que hasta ellas se llegue. Y lo mismo ocurre con Timgad.

La ciudad fue con toda probabilidad una fundación de primera planta, concebida ya desde su origen como colonia de veteranos, hacia el año 100 de nuestra Era, durante el periodo de Trajano. El solar donde se construyeron sus primeros edificios puede que fuera el mismo u otro cercano al que ocupaba el *castrum* de donde procedían muchos de sus habitantes. Incluso es seguro que durante mucho tiempo coincidiera con la existencia de una fuerte guarnición romana. Su situación en la misma frontera meridional del Imperio en África

47. El Decumanus conserva la huella permanente de las rodadas de infinitos carruajes.

48. Vista general de las ruinas al atardecer. ►
49. El color ocre de las piedras recuerda a las arenas del vecino desierto.

debía ser una fuente permanente de problemas con las belicosas tribus que surgían de tiempo en tiempo del desierto.

Pero, sea como sea, su aspecto delata el origen que tuvo.

Si fuera posible, convendría acceder al interior de las ruinas, desde la Timgad moderna, por la Puerta Norte y con los ojos cerrados dirigirse sin detenerse hasta una pequeña elevación que se encuentra contigua a los restos del Capitolio. Desde allí la visión de la ciudad resulta reveladora: en un cuadrado de algo más de doce hectáreas los restos de las viviendas aparecen divididas en manzanas exactamente iguales. Las calles son rectilíneas, sin ninguna curva, sin ninguna inflexión, sin variaciones en su trazado que permitan la aparición de plazas recoletas o errores en su trazado. Es exactamente el aspecto que uno espera encontrar en un campamento militar. No es que carezca de las comodidades exigibles a toda ciudad romana. Los baños, las grandes arterias, las letrinas públicas, el Foro, el Teatro, son obligatorios. Incluso en un extremo del Decumanus se levanta solitario un espléndido Arco en honor del Emperador Trajano. Al este, cerca de la Puerta Mascula, unos baños, de planta igualmente cuadrada, ocupando exactamente la superficie de cuatro manzanas, acaban de definir el concepto necesario de ciudad romana que exige Timgad. Pero las viviendas, algunas en excelente estado de conservación, son rigurosamente iguales y cuadriculadas *manu militari*.

Fuera ya del recinto castrense, comienzan las irregularidades, como no podía ser de otra manera. Pero antes de hablar de algunas de ellas, descendamos de la colina y regresemos a la ciudad por el Arco de Trajano.

Inmediatamente antes de cruzarlo queda una bien dotada plaza de mercado, denominada de Sercio, en honor del oficial que donó los fondos necesarios para su construcción. Ésta no es la única en Timgad. En el interior del recinto cuadrado existe otro mercado, y, aunque éste parece haber tenido como misión fundamental atender el abastecimiento alimentario de la ciudad, todo parece indicar que Timgad fue centro mercantil de la región y esa puede que fuera una de las claves de su desarrollo. El descubrimiento de múltiples inscripciones, terracotas, esculturas, mosaicos y todo tipo de objetos, así como un barrio de artesanos, tintorerías, oficinas y molinos de aceite, indican claramente la existencia de una actividad comercial y productiva más que notable.

Y es lógico que así fuera.

Las ciudades situadas en el interior de los territorios imperiales estaban en inferioridad de condiciones respecto de las costeras para ejercer las actividades comerciales de exportación. El transporte terrestre era considerablemente más caro y peligroso que el marítimo. Atravesar las montañas que separan Timgad de la costa mediterránea suponía no sólo una agotadora marcha, sino el riesgo constante de ser atacados por las tribus incontroladas que allí habitaban. La alternativa consistía en la autosuficiencia y el comercio con el entorno. Y Timgad se dedicó aplicadamente a ello.

Del lado interior del Arco de Trajano, comienza a recorrerse el Decumanus. Las huellas del paso de múltiples carruajes han quedado impresas indeleblemente en el pavimento de piedra, formando dos surcos laterales. Las viviendas se sitúan a ambos lados de la calle y a lo largo de los viales secundarios que de ella nacen. Asumiendo que se trata de una apreciación personal, se diría que un peculiar sentimiento de bienestar social e igualitario se desprende de lo que allí puede observar el viajero.

La mayoría de las casas, cuya buena conservación permite recrear la vida que contenían, aparecen sólidamente construidas. Su decoración interior debió ser sino opulenta, al menos dotada de cierta exquisitez y gracia, a tenor de los objetos de uso cotidiano y los mosaicos encontrados sobre todo en el barrio Suroeste, que se exhiben en el museo. Pero destaca de modo muy especial la uniformidad.

En la práctica totalidad de los restos de ciudades romanas, tanto en Italia como en las colonias, siempre resulta patente la presencia de varias mansiones que sobresalen por su suntuosidad y tamaño del resto. Son casas conocidas por el nombre de su propietario, cuando éste ha trascendido al olvido que generan los siglos, o por algún detalle especialmente notable de su fisonomía. En Djemila, nuestra anterior parada, la casa de Europa, o la de Anfitrio, o la de Baco, pueden ser ejemplos de ellas. Y seguiremos viéndolas más adelante, pero no en Timgad. Aquí ninguna vivienda destaca especialmente, ninguna merece una mención especial, ninguna puede considerarse como ejemplo del poder de uno de sus habitantes sobre el resto. Diferencias las hay: el barrio Suroeste parece más rico que el resto, pero en ningún caso son concluyentes. Insisto: puede que sólo sea una sensación que me alcanza desde la contemplación durante múltiples horas, una por una, de las casas encerradas en el cuadrado original de la ciudad. Pero tal como la asimilé en su día, me siento en la necesidad de trasladarla. Sin querer demostrar con ello nada.

Avanzando un poco más en nuestro camino empedrado sobre la calle principal, encontramos una nueva peculiaridad en Timgad: el *Cardo* en su encuentro con el Decumanus queda truncado, ambas calles forman una gran «T» que no alcanza continuidad. En su defecto, la desembocadura del *Cardo* muestra algunos de los edificios monumentales más notables de Timgad, abriéndose al Foro, a la Basílica, y, por encima de todos ellos, al coqueto teatro, cuya rehabilitación reciente, destinada a acoger los festivales que se celebran todos los años en Mayo, no ha hecho más que devolverle la vida y el sentido para el que un día fue creado.

Pero casi había olvidado la razón que nos hizo ganar Sur e introducirnos en los Montes Aurés, abandonando las cercanías del Mediterráneo. Buscaba entonces razones para justificar la decadencia de algunas ciudades. Descendimos en latitud hasta Timgad intentando obtener una respuesta y, hasta ahora, sólo han surgido nuevas preguntas. Porque Timgad parece tan detenida en un momento de su historia –y aquí sí sería válida la comparación– como Pompeya. La moderna Timgad, apenas algo más que una aldea grande, se sitúa fuera del recinto, como no queriendo molestar la labor de arqueólogos e historiadores que, desde 1880, vienen escudriñando entre sus restos, ni el reposo de quienes allí habitaron. Y si las respuestas no están entre la ruinas del recinto ocupado por la vieja Timgad, ni tampoco en la moderna, ¿dónde buscarlos?

Regresemos por el Decumanus Maximus, volvamos a cruzar el Arco de Trajano. Muy cerca de la pequeña colina desde la que contemplamos las ruinas de Timgad por primera vez, detrás de las dos imponentes columnas que marcan el lugar donde se asentaba el Capitolio, se encuentran unas ingentes ruinas que parecen no tener nada que ver con el resto de la ciudad. Son los restos de una catedral que se situaba en el centro de un barrio muy especial de Timgad en el siglo IV. Es la respuesta que vinimos a buscar... aunque quizás para encontrarla sea necesario dar un pequeño rodeo:

Hacia mediados del siglo III, el cristianismo estaba extendido por todo el Imperio. Aunque, en cierta medida, había conseguido su certificado de homologación, la actitud intransigente de sus practicantes respecto de la coexistencia con los cultos paganos originales romanos, hizo que parte de la población siguiera contemplando la pujanza y el progresivo poder que adquiría la secta con recelo. Los emperadores que se sucedían en el poder se inclinaban del lado pagano o del cristiano conforme soplaran los vientos de sus propios intereses. Los últimos Severo, animados de un espíritu contemporizador, toleraron, sino secundaron, el desarrollo cristiano. Pero estaban por venir malos tiempos. La llegada al poder de emperadores de convicciones castrenses no podía ser buena para la Iglesia en consolidación. La rotunda negativa de los seguidores de Jesús a abrazar la carrera de las armas y a seguir el culto a los emperadores, hizo temer a éstos que, de generalizarse esas ideas, en poco tiempo no hubiera ejército que defendiera al Imperio y que su propia posición política fuera puesta en entredicho. Consecuentemente, volvieron las persecuciones

50. En el restaurado teatro se celebra un festival anualmente. ►
51. Arco de Trajano.

52. Resulta inconcebible la existencia de una ciudad romana de esta importancia tan baja en latitud. ► ►
53. Fuerte bizantino.

54. En las regiones meridionales próximas a Timgad el atuendo tradicional cubre completamente las formas femeninas.

con renovada virulencia. Decio, Valeriano y Diocleciano sembraron de nuevo el santoral de mártires.

Pero junto a estos mártires hubo muchos cristianos que consideraron que perder la vida por mantener sus creencias era algo que no estaban dispuestos a hacer. El número de apóstatas –llamados libeláticos, porque eran portadores de un certificado o *libellus* que daba fe de su regreso al redil del paganismo– creció en mayor número que el de los que estaban dispuestos a morir. Y, entre ellos, se contaban muchos de los altos cargos eclesiásticos.

El problema surgió con el regreso a la tolerancia, especialmente a partir de la promulgación en el 313 del famoso Edicto de Constantino, que en la práctica supuso colocar al cristianismo en una posición privilegiada en el Imperio, posición que ya no abandonaría nunca (el episodio del bueno de Juliano no fue más que una anécdota sin continuidad). Muchos de los viejos apóstatas retomaron las riendas de la ortodoxia y con ella las de la dirección de los asuntos eclesiásticos.

La controversia estaba así servida. Algunos cristianos puros, aquellos que habían sobrevivido a las persecuciones por incorruptible empeño o suerte, se sintieron defraudados. ¿Cómo era posible que obispos que habían renegado de su fe, que entregaron las Escrituras para que fueran quemadas o que demostraron una actitud contemporizadora con el paganismo detentaran nuevamente la dirección de la Iglesia? ¿Cómo podían legitimarse los sacerdotes ordenados por ellos? ¿Y los bautizados?

Lo que se planteaba con estas preguntas era la negativa a aceptar la eficacia del ministerio sacerdotal si no era ejercido por hombres justos y de comportamiento intachable, algo que no podía ser aceptado por la Iglesia Romana dominada por un clero de incierto pasado.

Los puristas encontraron especial eco para sus tesis entre los cristianos africanos. Donato, obispo de Casae Nigrae, en Numidia, se puso al frente de la protesta, llegando incluso a ordenar a Mayorino como metropolitano de Cartago, frente al obispo oficialista Ceciliano, a quien acusaba de tolerancia con los cristianos «traidores», y provocando un cisma cuya traducción como herejía se conoce por Donatismo.

Con el tiempo Donato fue condenado por la Iglesia y murió en el destierro, mientras que muchos de sus seguidores acabaron siendo degollados en una reedición de las persecuciones contra los cristianos, sólo que esta vez era entre ellos mismos, para regocijo de aquellos que todavía seguían los ritos paganos. El Donatismo, sin embargo, siguió pujante en todo el Norte de África, extendiéndose cada vez más hacia el interior de la Provincia y no desapareciendo totalmente hasta la llegada del Islam.

Llegados a este punto, regresemos a Timgad, al barrio situado extramuros de la ciudad vieja y a la catedral que lo preside, porque éste fue uno de los más importantes centros del Donatismo. De hecho la ciudad entera –y con ella muchas norteafricanas– fueron el reducto último de las tesis donatistas que encontraron campo abonado entre los habitantes de las colonias –especialmente los campesinos bereberes– como reacción al dominio de los ricos colonos romanos.

La extensión del cisma tuvo como consecuencia inmediata el abandono de la región de las inversiones imperiales –economía y religión se daban la mano– con lo que la decadencia de Timgad y de otras *civitates* prósperas hasta entonces se hizo imparable.

Es cierto que durante el siglo VI Timgad fue arrasada por los mauritanos, pero tal circunstancia no hubiera sido posible de haberse mantenido la prosperidad y el control militar romano sobre la zona. La revuelta bereber era la consecuencia y no el origen de la decadencia. Porque la ciudad estaba en agonía desde mucho antes. Porque la catedral donatista cuyos restos insultantes siguen mirando al cielo que no supo entender –dice Frank Kolb, uno de los eruditos que más ha penetrado en la esencia de las ciudades de la antigüedad– fue «el símbolo del dominio de la ciudad por parte del obispo donatino Optato (388-398), quien acabó con la regular administración municipal, ya que, desde el último tercio del siglo IV, ya no existe ninguna inscripción municipal en Timgad».

Y ésa, al fin y al cabo, era la respuesta que buscábamos.

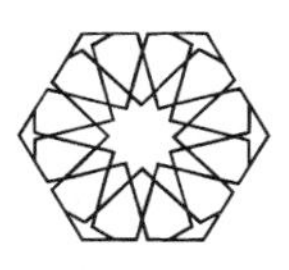

أروقة السلامة
EL MEDINA

TÚNEZ

No me es posible evitarlo: invariablemente mis recuerdos de Túnez pasan por los pájaros de la Avenida Bourguiba.

Es como una imagen recurrente, obsesiva, imposible de apartar de la mente. La Avenida Bourguiba, en tiempos de la ocupación francesa llamada Promenade de la Marine, es el eje que conecta el delicioso y desordenado entramado de callejas que forman la Medina, con la inmensa parrilla de la Ciudad Nueva, el lago y, al final de una larga recta que lo bordea, el Puerto de la Goulette y el Mediterráneo. Su estructura es la de un gran paseo central arbolado, con calzadas separadas para automóviles y múltiples calles que parten perpendicularmente desde ella, cuya estrechez contrasta con la amplitud de la Avenida.

Vista desde la ventana elevada de cualquiera de los hoteles que se alzan en las inmediaciones, parece un campo verde flanqueado por un intenso tráfico de la mañana a la noche, donde habitan incontables pájaros.

Poco después del amanecer, algunos de estos pájaros vuelan vertiginosamente muy cerca de las copas emitiendo agudos pitidos cuyo objeto –supongo– es despertar a sus congéneres, puesto que, en pocos segundos surgen como una explosión de metralla gris cientos de ellos y, todos juntos, desaparecen en dirección sur.

La operación se repite una y otra vez durante una media hora llegando a hacerse obsesiva.

Durante el resto del día, la Avenida permanece en relativa calma. Los periódicos comienzan a ser voceados por vendedores ambulantes que se sitúan estratégicamente en los lugares de más trasiego humano, mientras que los quioscos del paseo central muestran orgullosos sus productos en forma de revistas locales e internacionales, caso insólito en la mayor parte de las ciudades árabes. Muchos hombres y ¡sorpresa! mujeres ataviados invariablemente con ropas de corte europeo se apiñan en las pastelerías desayunándose deliciosos *croissantes* calentitos, empapados en insípido café con leche y zumo de naranjas dulces recién exprimidas. Las tiendas abren sus puertas avivando el impulso de compra de los caminantes desde escaparates que, si no llegan a la sofisticación de sus homólogos europeos, al menos se acercan. Alguna librería expone volumenes en varios idiomas imposibles de encontrar en otro lugar que no sea Túnez. Las paredes aparecen tapizadas de posters con la la imagen de Ben Alí, el sucesor del depuesto Habib Bourguiba, y frases de progreso a él atribuidas. Las gentes circulan invariablemente apresuradas, como ocurría en Argel, como sucede en cualquier ciudad del otro lado del mar.

55. La Porte de France y los edificios coloniales que presiden el acceso a la Medina.

Pero al caer la tarde, en ese momento incierto en que las sombras aún no acaban de ahogar al cansado sol, los pájaros regresan. Y entonces un griterío ensordecedor domina sobre cualquier otro sonido. El cielo se cubre del vuelo atareado de miles y miles de seres alados. *Loopings* inverosímiles, colisiones inevitables evitadas en el último centímetro, cortejos amorosos a ras de tejado, juegos de aire inacabables, piar angustioso de crias que aguardan, picados suicidas sobre las ramas, momentáneas detenciones en cualquier alero, desplomes sucesivos, bandadas que se mueven en escuadrilla sincronizada siguiendo no sé qué incomprensibles órdenes... forman un cuadro inquietante, perturbador, aparentemente desorganizado.

Finalmente llega la noche. Y los pájaros alados duermen. El silencio y la penumbra inundan la avenida mientras otros pájaros, esta vez sin alas ni pico, toman las aceras y el paseo central. Es tiempo de *begnessa*.

Esta palabra, *begnessa*, cuyo significado literal desconozco, define la actitud de algunos jóvenes tunecinos de cuidada apariencia y rudimentarios conocimientos de todos los idiomas del universo que toman a saco la Avenida Bourguiba durante las horas nocturnas, especialmente en las cercanías de la horrenda torre blanquiazul del Hotel África, y cuyo oficio consiste en la «conquista» de cualquier varón extranjero que aparezca por las inmediaciones. El sistema que utilizan es muy convencional y nada peligroso para el visitante a la ciudad, pero extremadamente molesto. Los chicos se convierten en auténticas lapas que no atienden a más argumentos para liberar a la víctima elegida que la amenaza firme de avisar a la Policía (vigilante siempre en las inmediaciones de la Avenida, por cierto). Es una lástima, pero la presencia de esos jóvenes convierten a menudo lo que podría ser un agradable paseo en una continua angustia.

Para algunos tunecinos esta actitud, junto con el avance de la homosexualidad y la prostitución en lugares como Hammamet o la Isla de Yerba, es el resultado de la incondicional apertura del país a las costumbres occidentales, portadoras según ellos de todas las lacras sociales. Para otros no es más que el precio que es necesario pagar por la larga marcha hacia la modernización de la más pequeña de las naciones norteafricanas. La sociedad tunecina se debate entre el sentimiento ancestral de apego a sus tradiciones islámicas y el anhelo, más que evidente en la Capital, de abrazar los impulsos renovadores que la alcanzan desde Europa.

Tunicia es la nación musulmana abanderada del progreso social. Fue la primera en abolir la poligamia y en conceder igualdad de derechos entre la mujer y el varón. Y ello le ha acarreado la consideración por parte de los sectores más fundamentalistas del mundo árabe de traidora a la doctrina del Profeta. Pero para el visitante occidental la apertura real que se respira en todo el país no supone más que una ventaja. Es, sin duda, el África más accesible, más llevadera, más sencilla de recorrer. El tamaño contenido de su solar ayuda a la visita en profundidad del país. Y su capital, Túnez, es la más amable, coqueta y predecible de todas las ciudades árabes.

El mismo acceso a la ciudad, viniendo desde el oeste, supone un reconfortante trayecto saturado de hermosos paisajes montañosos, donde las últimas estribaciones del macizo del Teboursouk crean un delicioso conjunto ondulado y pleno de vegetación que nutre el Mejerda. Los grandes plegamientos arcillosos crean multitud de tortuosos valles que desembocan en la llanura costera del Golfo de Túnez. Hasta los mismos aledaños de la ciudad se extienden los cultivos mediterráneos del olivo, la vid, los frutales, alternándose con grandes campos dedicados a los cereales.

Frente a ese ambiente de Naturaleza viva, la entrada a Túnez resulta decepcionante. La ruta queda encajonada entre grasientos y poco dotados de utillaje talleres de una planta y múltiples negocios nada atractivos para la vista. Parece más un lineal campamento de bereberes al que le hubieran caído encima todas las lacras asociadas al progreso que el anuncio de lo que está por venir.

Por fortuna las cosas cambian deprisa. Los regulares bulevares, los pasos elevados y un tráfico más ordenado y compuesto por vehículos considerablemente más jóvenes que los de sus vecinos magrebíes conducen inexorablemente hasta la Puerta de Francia en el límite oriental de la Medina y la apertura hacia la Avenida Bourguiba y el conjunto de la Ciudad Nueva. Y aunque nada indica todavía en esta zona el inicio del relato de la vida de Túnez, un sentimiento de pujanza, de poderoso empuje hacia delante, de voluntad firme dirigida al progreso alcanza el ánimo del viajero. Los altos edificios que decoran la Avenida de la República y sus aledaños, los modernos hoteles habitados por un público multinacional hablan de obra reciente, de personalidad en vías de formación, de búsqueda de identidad, pero también de imparable apetencia por el ascenso, por la distinción entre las otras ciudades árabes, y prosperidad y atropellada evolución hacia un destino que se presume cercano ya.

Túnez, tantas veces eclipsada por el brillo radical de su vecina Cartago, es de origen antiquísimo, anterior incluso al de la ciudad de Aníbal. En el valle que bordea el lago, el Sebkhet es-Sejoumi, habitaba desde la más remota antigüedad una tribu de maxitanos. Ellos fueron quienes cedieron al grupo de tirios disidentes que un día alcanzaron las costas del golfo el emplazamiento para la fundación de la gran urbe púnica. Y durante un tiempo siguieron vidas separadas, trayectorias distintas. Pero, más tarde, Cartago se hizo señora del Mediterráneo Occidental. Nada podía oponerse a su poderío comercial y militar. Su lucha por el dominio de las inestables rutas marítimas se correspondía con un control cada vez más estricto, cada vez más férreo sobre las tierras del contorno. Acabaron con los maxitanos, y la llanura cercana al lago, el asentamiento incipiente de Túnez, fértil y bien regado, obtuvo su cuota inesperada de estabilidad y embellecimiento al convertirse en zona residencial donde se retiraban los acaudalados cartagineses que ya no miraban al mar más que para recordar los beneficios que les había aportado. Es como si en algún momento de la vida de aquellos avezados comerciantes y navieros, después de consumir su existencia en misiones de negocios en las Galias, Hispania o la Magna Grecia, consideraran que su anhelo mayor, el fruto último que ofrecer a sus postreros días debía coincidir con el primero de planteles de olivos, naranjos o almendros. Al abandono del nomadismo productivo a través de las olas mediterráneas, continuaba el sosiego sedentario de la vida campestre. Y el asentamiento de Túnez constituía la meta alcanzable: suficientemente cerca de sus negocios como para mantener el control sobre ellos, bastante lejos del mar como para olvidar el olor salado de tanta vida invertida en él.

En su conjunto la historia de Túnez es como la de tantas y tantas ciudades, con abundantes años trazando surcos de vida en su suelo: alternancia de días de gloria, con otros de ocasos profundos; ascenso hasta lograr la capitalidad de la Ifriqiya de los aglabitas y riguroso declive en aldea al límite de subsisten-

56. Hammanet. Casas blancas cayendo al mar.

57. Catedral de San Vicente de Paul. ►
58. Museo del Bardo: sala central columnada.
59. Centro de la avenida Bourguiba.

cia; conquistada por Agatocles y elevada hasta el rango de base para las campañas siracusanas en el Norte de África, y destruida cruelmente por Escipión, junto a su benefactora Cartago.

La vida de Túnez parece estar siempre unida a la sombra oscura que sobre ella ejerce otra ciudad. A Cartago, después de su definitiva destrucción por Hassan Ibn al-Numan, sucedió Kairuán. La ciudad de las estepas interiores de Tunicia compitió siempre en lo religioso, en lo cultural y en lo económico por conseguir la supremacía sobre ella. Y en muchos momentos lo consiguió plenamente. Pero también parece claro que la perseverancia es el sino del triunfo final de Túnez. Su rivalidad con Kairuán se resolvió así del modo más inesperado, ilustrando de paso la diferencia esencial que existe entre los pueblos nacidos del desierto y aquellos que agotan su existencia volcados al mar.

De entre las muchas invasiones que como una maldición sufrió el morro oriental del Magreb, quizás una de las que más conmocionó a toda la región fue la de los Beni Hilal, a comienzos del segundo milenio de nuestra era. Se trataba de tribus seminómadas habituadas al pillaje y, por tanto, poco interesadas en aventuras complejas y, mucho menos, en el control de algo que no fuera las tierras llanas, rebosantes de riquezas agrícolas y ganaderas, y de sojuzgar a quienes las poseían antes que ellos. Pero, por supuesto, nada de veleidades marítimas.

Como ocurre con todos los pueblos surgidos del desierto, la aversión por el medio marino era patológica para los hilalianos y, por ello, despreciaron aquella oscura localidad costera. En su lugar invadieron, saquearon y prácticamente demolieron todo el resto del país, incluida Kairuán, pero respetaron, más por desinterés que por respetuosa deferencia, el asentamiento de Túnez. Esa circunstancia propició que otra tribu, esta vez menos alérgica al mar, los jorasaníes, fundaran allí un reino independiente, y que los almohades, aquellos señores que llegaban de la lejana Marrakesh, no teniendo nada mejor a mano, convirtieran a Túnez en capital de toda la región.

De esta época, coincidiendo con las vísperas de las fechas en que la reconquista española devolvió a África lo más preclaro de las mentes medievales europeas, resulta imprescindible resaltar la figura de uno de los tunecinos más universales de toda la larga serie de pensadores musulmanes. Me refiero a Ibn Jaldun.

La labor de este sabio nacido en Túnez en 1332 ha sido hasta época reciente injustamente ignorado en ambos lados del Mediterráneo: en Occidente, por tratarse de un erudito árabe, lo cual parece suficiente estigma como para condenarlo al olvido; entre sus correligionarios, porque la obra de Ibn Jaldun no atendía a credos ni consignas, utilizando por igual para demostrar sus argumentos fuentes ortodoxas islámicas, testimonios de herejes musulmanes o razonamientos de eruditos cristianos. La Historia Universal por él compuesta contiene en su «Prolegómenos» una colección de ideas sobre la mecánica de la historia que, aplicadas a su propio marco geográfico, permitieron a arabistas posteriores explicar muchas de las peculiaridades de la historia árabe.

Y del mismo modo que ocurrió en otras ciudades norteafricanas, la masiva llegada a Túnez de judíos y moriscos procedentes de la España reconquistada, entre los que se encontraba la familia de Ibn Jaldun, catapultó a la ciudad a convertirse en una de las primeras del Mediterráneo.

Una vez más tenemos que contemplar con cierta pesadumbre cómo el obligado exilio a que se vieron condenados los habitantes no cristianos de la Península Ibérica se convirtió en una bendición para aquella ciudad árabe que los recibía: la venida de la exquisitez de los musulmanes andaluces y del espíritu emprendedor de los judíos, hizo de Túnez una delicada muestra del modo de vida de unos y otros y un emporio comercial de primera magnitud. La sucesiva asimilación de nuevas entregas de extranjeros venidos de todas las latitudes, unas veces como conquistadores –caso de aquel Barbarroja argelino, llamado Jair al-Din– y otras como simples peregrinos, desarraigados o apátridas, acabaron de otorgarle el acusado cosmopolitismo que todavía conserva y que las sucesivas oleadas de colonizadores modernos no han hecho más que acrecentar.

Para el viajero actual esa visión inicial de conjunto que obtiene en su travesía hacia la Avenida Bourguiba desgrana paso a paso todos los episodios de la historia de la ciudad, como un rápido glosario de sentimientos que destila cada una de sus esquinas, desde el abigarrado desglose de variaciones arquitectónicas que se descubren poco a poco, desde la fisonomía variable de las gentes que la habitan. La contradicción maravillosa que encierra toda la ciudad –y que alcanza su culminación en la Plaza de la Independencia–, otorga a Túnez esa imagen diferencial que siempre buscamos en cada lugar al que nuestro espíritu viajero nos lleva, aquella que quedará en nuestro recuerdo y que en Túnez se revela alternando calles angostas con amplias avenidas, rascacielos de impecable diseño con viviendas miserables, edificios coloniales con recoletas barriadas, rincones invadidos por la prisa de los negocios cercanos y otros donde se fuma en narguile plácidamente y se bebe té a la menta a todas horas.

Y si toda Túnez es un permanente homenaje a su devenir temporal, el lugar de los lugares, aquel punto que se hace necesario recorrer con la lentitud que marca el reloj de las horas de insomnio es su Medina.

Ésta es la antítesis de las medinas de Fez o Marrakesh o, mucho más, de Argel. El conjunto monumental escondido detrás de la Porte de France y enmarcado por los edificios coloniales de la Plaza de la Victoria merece con toda justicia ser considerado como uno de los más importantes de todo el legado que nos llega desde el Oriente. Y no es casual que así sea. Recientemente, la fundación de la Asociación para la Conservación de la Vieja Medina pugna por preservar su patrimonio histórico con el necesario mantenimiento de la vida y las tradiciones que allí se desarrollan desde siempre. Es un hermoso y complejo empeño cuyos resultados son perfectamente perceptibles apenas se accede al interior de la Ciudad Vieja por la calle Jamaa ez-Zeituna.

En la Medina de Túnez todo es limpieza, pulcritud, mimo en la exposición de las múltiples mercaderías que saturan sus cuidadas tiendas. El tradicional dédalo de callejuelas, en ocasiones abiertas y las más de las veces cubiertas por largos tramos de arcos de mampostería están escrupulosamente pintadas e higiénicamente saludables. La conversación de los tunecinos –el gran tributo de los árabes a la comunicación humana, poco asimilado por Occidente-, revolotea desde las minúsculas mesas y las sillas de hierro que se sitúan en los bares otoñales que pueblan los viales, mezclándose con el humo de las pipas de agua y el aroma saludable de la hierbabuena fresca. No hay nada en el ambiente que atemorice al viajero, nada que le resulte hostil o sórdido o peligroso, nada que recuerde el riesgo vivido en otras medinas... Túnez: África accesible, lo dije más arriba, y en su Medina se percibe como inesperado hallazgo.

Tetuán era el pórtico imprescindible para el acceso al universo norteafricano, porque el código genético andaluz estaba presente en todo lo que cada uno de nuestros sentidos podía allí abarcar, pero Túnez es un modo de acceder a ese mismo universo aterrizando directamente en su corazón. ¡Qué placer inusitado pasear entre los minúsculos tenderetes, agrupados calleja tras calleja, mostrando los diferentes oficios tradicionales, algunos de ellos sólo presentes aquí! Desde sus orígenes, irradiando cultura y sabiduría y ciencia en la Gran Mezquita, la Mezquita del Olivo, la Jamaa ez-Zeituna. Desde el principio de cada uno de sus tiempos, organizando la vida ovalada que encierran los bulevares con nombre de puerta (Bab) que la contornean. Y allí, en el interior de la Medina, la comprensión inmediata, la revelación sorprendente, el caer en la cuenta de lo que la suma total del contenido de una medina, de cualquier medina, significaba en el contexto ciudadano árabe.

En los zocos que rodean el imponente edificio de la Gran Mezquita, la parcelación de los distintos gremios es absoluta: grandes puertas hoy inoperantes tenían como misión aislar cada uno de los barrios productivos para facilitar su defensa.

El primero en aparecer, bordeando la Biblioteca Nacional y la Jamaa ez-Zeituna, es el Souk el-Attarine, el de los perfumistas, y en sus diminutas tiendas no se sabe qué admirar más si la extensa variedad de aromas disponibles

63. La ropa de corte europeo y el maletín resultan extraños en los tortuosos viales de la Medina.

◄ 60. Las terrazas de la Medina suponen un punto de observación excepcional.
61. Chicas trabajando en un telar.
62. Hombres fumando en nargile en un bar de la Medina.

o el refinamiento que sus propietarios demuestran en la exposición de los infinitos frascos que contienen. A las labores tradicionales, con esencias robadas a rosas, lilas, limones, claveles, almendras y yerbas diversas, se unen (¿acaso lo dudaba?) las imitaciones escrupulosas de los perfumes más reconocidos de marcas occidentales: ¿Qué desea: Chanel número 5, Cacharel, Diorisimo...? ¡Pídalo y obtendrá la copia exacta de su fragancia preferida, al diez por ciento de su precio y concentrada al veinte por ciento de su volumen!

Como un recuerdo para el viajero de que, a pesar de todo, sigue en un país predominantemente musulmán, el Souk des Femmes, el Zoco de las Mujeres, queda reservado para las transacciones de ¡objetos usados...! Y más vale que no haga comentarios al respecto.

El Zoco de los Orfebres, inusualmente alejado de la Mezquita, es, por el contrario, un lugar de seducción absoluta. La meticulosidad con que se trabaja el oro, diamantes, perlas, ónices, azabaches, circonios y todo tipo de piedras más o menos preciosas, queda en perfecta sintonía con la simple pero efectiva iluminación de los escaparates que los contienen y con los estrechos y tortuosos viales que lo forman, obligando a aminorar el paso y a contemplar fascinado cuanto allí se expone.

Pero de todo cuanto contiene de cautivador la Medina de Túnez existen dos lugares que, sin duda, activan un sentimiento común de sorpresa en el viajero que hasta ellos se llega, y ambos tienen marchamo español: se trata del poco llamativo túmulo funerario situado en el centro del Souk el-Sekayin, que contiene los restos de Anselmo Turmeda, y el conjunto del Souk ech-Chauchiya.

La historia de Anselmo Turmeda es de esas que se consideran malditas entre los sectores cristianos occidentales. E incomprensibles, aunque no únicas. Este escritor mallorquín nacido a mediados del siglo XIV se ordenó como franciscano y alcanzó cierta notoriedad como teólogo merced a sus estudios en Bolonia y París. Pero un día decidió marchar a Túnez, renegar del cristianismo y convertirse al Islam. El estupor que causó su decisión sólo se puede llegar a entender si se piensa en el tipo de sociedad de la que provenía Anselmo, regida en todos los aspectos por la más absoluta sumisión a los preceptos religiosos y con la reconquista a cien años de su culminación, con la toma de Granada por los Reyes Católicos. Tal fue la conmoción producida por la apostasía de Turmeda –y la manifiesta imposibilidad de sus contemporáneos para aceptarla– que se pensó que no había sido voluntaria o que procedía de un rapto momentáneo de locura, de la cual ya debía estar curado. Se iniciaron múltiples gestiones tendentes a asegurar al ex-franciscano que si regresaba a la fe cristiana y a su patria no sería objeto de ningún tipo de represalia. El papa Benedicto XIII promulgó una bula en ese sentido y Alfonso V el Magnánimo extendió un salvoconducto a su favor. Pero Anselmo no se movió de Túnez. Por el contrario, continuó su brillante carrera administrativa al servicio de los reyes tunecinos y escribió abundantes páginas refutando los dogmas de los cristianos y lanzando profecías sobre todo lo humano y lo divino. En 1423 moría en su ciudad adoptiva, siendo considerado por algunos musulmanes como valí u hombre santo.

El Souk ech-Chauchiya, por su parte, contiene una serie de tiendecillas primorosamente dotadas de mostradores y revestimientos de madera, donde se fabrica en exclusiva el famoso gorro de fieltro rojo sin alas típico de Túnez, denominado fez o chechia. Este gorro, convertido con el tiempo en sello de identidad del varón tunecino, originalmente era usado por algunos árabes andaluces quienes, al ser expulsados de la Península Ibérica hacia el siglo XII, lo trajeron a la ciudad.

El sistema de fabricación del fez no ha variado sensiblemente en todo este tiempo: la malla de lana se hila en un barrio situado al norte de la capital, Ariana, desde donde, impregnada en aceite, se remite a el-Bathan. En esta localidad, en unos talleres dedicados en exclusiva a la labor, se golpea repetidamente el paño en una máquina compuesta de grandes mazos hasta conseguir su desengrasado y el apelmazado de los pelos. Por supuesto, esta máquina recibe el nombre de batán. Formado el fieltro de lana, se expide al Souk ech-Chauchiya donde se construye el fez. La única concesión a la modernidad en todo este proceso es que ya no se hacen feces exclusivamente en color rojo... ¡la moda de los complementos coordinados invade también esta tradición de más de ocho siglos!

La visita a la Medina de Túnez concluye porque es inevitable que así sea. El siempre urgente repaso a medersas, mezquitas, palacios y zocos, tanto si dura un día como si ocupa una semana entera, deja un poso de insatisfacción habitualmente en el viajero. Porque nunca es suficiente. Porque, después de recrearse en la contemplación de todo lo que en ella se exhibe, sean monumentos u objetos minúsculos, subsiste la tentación permanente de demorarse aún un poco más, de mezclarse con los pacíficos habitantes que la pueblan, y compartir el narguile o el té, y adquirir algún mínimo objeto gozándose en el juego del regateo, y ascender hasta la terraza del Palais d'Orient para observar al atardecer cómo se derrumban los últimos rayos de sol sobre los tejados de la Medina. Por eso, si aún desea más –y seguro que así será– debe dirigirse por la calle Turbet el-Bey, continuación estricta del Souk des Femmes, hacia la Bab Jdid y la Plaza el Jazira. Éste es un recorrido poco frecuentado por los miles de turistas que diariamente invaden la Medina y quizá por ello tenga un sabor más auténtico que el resto. Los oficios tradicionales quedan preservados del influjo exterior. Muy pocos «despiadados» vendedores le asaltarán. Y, por el contrario, podrá gozarse en la amabilidad de quienes allí viven y trabajan, compartiendo su actividad y, si tiene suerte, un momento de su vida...

La calle de Argelia y, posteriormente, la de Jamal Abdennasser le devolverán a la Plaza de la Independencia presidida por la espantosa Catedral de San Vicente de Paul y a los pájaros adormecidos de la Avenida Bourguiba. Vuelva la vista atrás entonces: al fondo aún será visible el arco de la Porte de France, el acceso a la Medina. Cada uno de sus sentidos recordarán de golpe las sensaciones obtenidas en su interior. Recordará también –porque siempre habrá en Tunicia o fuera del país quien se lo haya comentado– que la Medina mantiene el milagro de su perfecto estado de conservación merced a los ingresos producidos por el turismo. Y recordará que ese comentario tenía un cierto tufillo destructivo y desmotivador...

Pero déjeme que le diga que si el turismo de masas es el responsable de que aún podamos asistir a ese milagro que se desarrolla día a día en las profundidades de la medina de Túnez, por una vez, bendito sea.

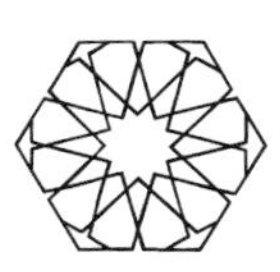

CARTAGO

También por esta vez no será necesario realizar un largo recorrido para alcanzar nuestro siguiente destino.

Al final de la Avenida Bourguiba de Túnez se encuentra una estación de enormes dimensiones de la que parten confortables trenes ligeros, llamados T.G.M., con destino a la Goulette, Salambó, algunas de las playas cercanas a la capital y, por supuesto, al Parque Arqueológico de Cartago.

La larga recta que conecta Túnez con los barrios del golfo y el puerto es, en su desolación, como un prólogo necesario para aceptar lo poco que la gran ciudad púnica y romana está dispuesta a entregar al viajero a cambio de su esfuerzo por visitarla.

La parada del T.G.M. que abre la puerta de la visita a Cartago es precisamente la Cartago-Salambó. Desde allí hasta las inmediaciones de la deliciosa localidad de Sidi Bou Said, una decena de kilómetros después, se extienden en precario despliegue los restos de la que fue «la más rica ciudad del mundo».

El caminar interesado, a veces doloroso, de todo aquel que recorre los vestigios que el tiempo ha respetado para ofrecerle la ocasión de contemplarlos, de buscar su esencia, de desentrañar la madeja que ha hecho posible que seamos como somos, se siente desconcertado ante semejante extensión. En la experiencia de muchos viajeros impenitentes las ruinas de una ciudad se asimilan a un espacio reducido donde se amontonan, a veces confundiendo y otras revelando su significado, las piedras que algún día contuvieron la vida que animaba ese espacio. Por eso Cartago, las ruinas de Cartago aturden en la inmensidad del campo que cubren y trastocan todas las ideas preconcebidas que se tienen antes de llegar a ellas.

Es simple asumir el desasosiego que debió sentir el arqueólogo Beulé cuando en 1857, el mismo año en que Flaubert escribía su novela *Salambó,* clavó por primera vez la piqueta en el lugar donde sabía que estaba la ciudad. Debajo de la Colina de Byrsa, a lo largo de la costa que va desde dos pequeñas y románticas lagunas identificadas como los puertos púnicos, hasta el actual Palacio Presidencial, en medio de las pequeñas elevaciones que flanquean la ruta hacia Sidi Bou Said, cerca de los enormes aljibes conectados con el acueducto que, partiendo desde los montes Zaghuan, suministraban agua a Cartago y que algunos agricultores utilizaban como almacén, sabía que reposaba la ciudad que admiró el griego Polibio, la que hizo recitar a Escipión, mientras observaba los efectos de la destrucción que él mismo había provocado, los versos de Homero:

> Llegará un día en que la vieja Ilión desaparecerá
> y el mismo Priamo y la gente del rey guerrero.

64. Las termas de Antonino

Sabía Beulé que allí debían esconderse los templos de mármol, las largas columnatas doradas, los frutos mejores de los escultores griegos, los palacios, las villas deslumbradoras, los almacenes que distribuían los productos más diversos, desde esclavos númidas hasta tostadas doncellas libias, las pieles de los animales salvajes sustraídas al África del otro lado del desierto, el vino de Samos, las especias de Oriente, la cerámica helena, el papiro y el lino egipcios, los metales de Hispania, el cobre chipriota, y el oro, sobre todo el oro. Porque los cartagineses creían en el oro por encima de todas las cosas.

Sabía Beulé que el utillaje para la construcción de edificios de hasta seis pisos, y las fábricas de armas, y las dársenas, gradas para buques, establos, comercios, oficinas, talleres... debían esconderse en algún sitio entre la Goulette y Sidi Bou Said, entre los llanos agrícolas y el mar. Y sabía también, desde la zozobra, que Cartago había sido destruida dos veces y dos veces convertida en la ciudad más importante del Mediterráneo, y que sus restos fueron utilizados en gran medida para elevar otros edificios, para cobijar otras vidas más recientes, que viajaron hasta la vecina Túnez, y cruzaron el mar, hasta Italia, que los mármoles de sus templos fueron a crear un santuario destinado a otro Dios: la Catedral de Pisa nació de ellos... Y, a pesar de todo, se puso manos a la obra y su empeño ha seguido sin interrupción desde entonces.

Desde 1973 catorce equipos de investigación se reparten el área urbana cartaginesa, intentando desentrañar lo que quince siglos de historia de una ciudad puedan aún mostrar. Utilizan las técnicas más modernas en el análisis de los vestigios que la tierra entrega a desgana. Y los frutos de su labor, junto con la exposición del modo en que los han logrado, se exponen con orgullo en el Museo de Byrsa.

Pero por mucho que para arqueólogos, investigadores e historiadores el Parque Arqueológico de Cartago sea de incalculable valor, el viajero que hasta él se llega, necesita pruebas tangibles, espacios donde alimentar su mirada ávida de recuerdos del pasado, lugares capaces de despertar su imaginación. Porque Cartago es antes que nada evocación, recuerdo, memoria ancestral, sugestión por un nombre que dominó el Mediterráneo occidental, y todos esos sentimientos necesitan sustentarse en objetos sobre los que se proyecten. La pregunta es: ¿Existe en Cartago la posibilidad física de nutrir ese cúmulo de sentimientos que provoca el nombre de la ciudad? Y la respuesta tiene que ser vehementemente afirmativa, siempre que seamos capaces de invertir el esfuerzo necesario para hacer real esa posibilidad.

Ya he dicho que los restos de Cartago se encuentran diseminados a lo largo de una decena de kilómetros. Además son extraordinariamente fragmentarios e incompletos, de forma que resulta difícil asimilar la vida que contuvieron. Pero, bajo la perspectiva con que yo contemplo esa dificultad, estimula más que sofoca la voluntad de irlos descubriendo. Desenmascarar con la imaginación lo que los siglos y las destrucciones sistemáticas emprendidas por los seres humanos ocultan en Cartago es brasa que enciende la llama de nuestro poder de evocación. Y la presencia viva del espíritu que brota del extenso campo de ruinas se hace así –y sólo así– perfectamente reconocible para quien quiera contemplarla.

La sugestión que ejerce Cartago sobre nuestro espíritu mediterráneo es sólo comparable a la de Petra o la de la lejana Palmira. Muchos de nuestros sueños de primera juventud colegial se teñían de las interminables campañas guede primera juventud colegial se teñían de las interminables campañas guerreras entre cartagineses y romanos. Era una mezcla extraña de amor y odio, de imágenes que se introducían en nuestra mente saturadas de la crueldad y cobardía que destilaban los «diez mil», la clase dirigente de la ciudad en su última etapa púnica, junto a la suprema valentía e inteligencia de Aníbal, el general vencido más por la estupidez de sus conciudadanos que por Escipión. Incluso en el relato de su fundación, al igual que ocurre con todas las ciudades legendarias, se mezcla a partes iguales mito e historia. Y entre uno y otra se obtiene un cuadro de amores y desamores, cuyo resultado final es la creación de Cartago por una mujer.

Quiero imaginar a esa mujer, a Dido –según Virgilio, Elisa para Josefo–, como una hermosa joven tiria nimbada con todos los atributos de las heroínas clásicas, llorando inconsolable la muerte de su marido Sicarbas a manos de su propio hermano, Pigmalión, en una de esas tragedias sin solución que tanto gustaban a romanos y griegos. Pero, al mismo tiempo, la veo revestida de todo el espíritu práctico que distinguía a los fenicios, abandonando Tiro y su vida regalada como hija del rey, huyendo hacia un destino incierto... pero haciéndose acompañar de un nutrido grupo de seguidores y de todos los tesoros que pudo sustraer a la codicia de Pigmalión.

En su ruta hacia el Poniente, recalaron en la isla de Chipre, donde embarcaron con Dido y sus seguidores ochenta vírgenes chipriotas, para regocijo de éstos últimos. Durante toda la antigüedad, las mujeres de la isla que vio el nacimiento de Afrodita eran consideradas las más expertas amantes de todo el Mediterráneo. Los cultos de la diosa del amor sugerían una especial formación en este sentido que –una vez más– no podía escapar al pragmatismo fenicio: «Si hay que fundar una nueva ciudad y poblarla con nuestros descendientes», debieron pensar, «hagámoslo con el mejor material disponible».

Después de doblar el Cabo Bon desembarcaron en el Golfo de Túnez. El lugar reunía todos los requisitos que podían motivar la fundación de una ciudad, conforme a las actividades que, desde ella, iban a llevar a cabo sus habitantes: una bahía abrigada donde construir el necesario puerto, una colina para edificar las viviendas, un llano circundante que permitiera su expansión y el control visual del avance de cualquier enemigo terrestre que pudiera acercarse, y a lo lejos un buen macizo montañoso, suficientemente disuasorio para esos enemigos potenciales...

El único inconveniente era que el lugar elegido ya tenía dueño: los maxitanos vivían allí, ¿recuerda? Claro que eso no era un escollo insalvable para los hábiles negociadores fenicios. De las conversaciones mantenidas entre las dos partes surgió el compromiso maxitano de conceder a los tirios fugitivos un área costera tal que pudiera ser circunscrita por la piel de un buey. Y eso que, en condiciones normales, no parece una superficie muy generosa para el asentamiento de una ciudad, en la mente fenicia de Dido se convirtió en un extenso

65. Cimientos de la ciudad púnica en la Colina de Byrsa y Golfo de Túnez ►
66. Los masivos fundamentos de época púnica y romana son un pálido reflejo de lo que debió ser la ciudad en la antigüedad

67. Muro de acceso a las villas romanas ► ►
68. Calzada y grupo de villas romanas

fue posible? Veamos: los maxitanos dijeron una piel de buey, pero no fijaron los términos en que esta piel debía situarse, así que Dido dividió el pellejo de marras en finísimas tiras que, puestas en sucesión, cercaban una buena parte del Golfo de Túnez.

No conozco la reacción de los ingenuos maxitanos, pero debieron cumplir su palabra puesto que fue un hecho el asentamiento de Cartago –palabra derivada de las del idioma fenicio Qart Hadash cuyo significado es ciudad nueva, lo cual, permítaseme la disgresión, hace bastante ridículo el apelativo de Cartago Nova dado por los romanos a nuestra Cartagena, que vendría a ser algo así como la Nueva Ciudad Nueva–.

Desde ese rocambolesco comienzo llegó la expansión para la ciudad, la organización del comercio, la obtención de zonas de influencia cada vez más distantes del núcleo original. Frente al Golfo se encuentra la Isla de Sicilia, y, desde ella, la Península italiana, Córcega y Cerdeña inundaban los ojos codiciosos de los cartagineses de pingües perspectivas comerciales, con permiso de griegos y etruscos, primero, y romanos luego. Bordeando la costa norteafricana hacia el oeste, España y Francia eran un campo todavía virgen para los negocios. Y, más allá del Estrecho de Gibraltar, todo un mundo de posibilidades aún sin descubrir quedaban a su alcance.

La pujanza con que se pusieron a la tarea los seguidores de Dido llamó inmediatamente la atención de sus vecinos. Los problemas fronterizos y de cuotas de influencia comenzaron pronto, aunque la leyenda los disfraza con ropajes más románticos. El rey de Utica, colonia fenicia cercana a Cartago, vio en Dido su ideal de belleza y se enamoró perdidamente de la vecina del este. En uno de esos arrebatos que provocan los amores apasionados legendarios amenazó con arrasar a los recién llegados si la hermosa tiria no se casaba con él. Y puesto que las amenazas no parecen la fórmula ideal para conquistar a una mujer –y menos a una de la pasta de Dido–, ésta no estaba evidentemente dispuesta a entregar sus favores al de Utica, manteniéndose fiel a la memoria del difunto Sicarbas. Pero como tampoco podía arriesgar la existencia misma de la naciente ciudad, se arrojó a una hoguera, muriendo por su pueblo y chasqueando de paso a sus vecinos. Las malas lenguas romanas –concretamente Virgilio– dirían que Dido se enamoró de Eneas, un héroe troyano, y cuando éste la dejó para marchar a unificar a los nativos italianos la mujer escogió el camino de la pira...

Hasta aquí el relato mitológico de la fundación de Cartago. La realidad sin duda tuvo características mucho más prosaicas, ¡pero es tan hermoso soñar...! Lo probable es que un grupo de habitantes de Tiro especialmente emprendedores y cansados de la mordaza a que les sometía la metrópoli alcanzase la costa tunecina y, tras sentar las bases de su nuevo asentamiento, pusieran en marcha una original estrategia comercial centrada en la atención preferente al occidente mediterráneo. Esas actividades no debieron ser muy del agrado de las colonias fieles a Tiro que ya existían en la zona, especialmente Utica, una de las más prósperas, por lo que se produjeron distintos escarceos belicosos entre ambas ciudades, hasta que acabaron convenciéndose, merced al razonamiento de las armas, de la voluntad firme de los cartagineses de mantenerse en la región.

A partir de ahí el devenir de la ciudad es tan conocido que parece reiterativo detenerse en exceso en él. A los griegos de la Magna Grecia –Sicilia y el sur de Italia– no les hizo especial ilusión la presencia cartaginesa en la región dominada por ellos. A los etruscos tampoco. Los episodios bélicos que se sucedieron aportaron alimento a las alimañas y a los peces de la cuenca mediterránea occidental, especialmente durante los siglos V y IV a.C. Luego llegaron los romanos, y con ellos los enfrentamientos dejaron de ser un juego –trágico juego– de influencia y supremacía sobre el entorno: sencillamente no podían existir dos potencias hegemónicas como la cartaginesa y la romana en el angosto Mediterráneo. Eran mutuamente excluyentes. Y si los griegos se dedicaron a hostigar y difamar a los cartagineses, los romanos no se contentaron hasta destruirlos totalmente, hasta arrasar la ciudad.

La mala conciencia romana hizo sin embargo que Cartago, la capital de sus mortales enemigos, volviera a edificarse, que volviera a ser "una de las más ricas del mundo", pero esta vez después de Roma, ahora bajo la férula de sus verdugos. Cartago se convirtió por segunda vez en la estrella mediterránea de mayor brillo, como capital de la provincia del África Proconsular.

Nuevamente la colina de Byrsa, antaño acrópolis púnica, espacio donde se alzaba el templo magnífico de Echmon, vio nacer edificios monumentales. Capitolio, Basílica y Foro, en la más estricta tradición ciudadana romana, presidían las casas de la ladera. Teatro, Odeón, Anfiteatro, Termas y, muy especialmente, lujosas villas hablaban de la transformación soportada por el suelo agostado por las llamas que, durante dieciséis días, abrasaron la fundación de Dido. (Como símbolo está bien, pero no parece históricamente cierto que Escipión mandase arar todo el recinto ocupado por la ciudad y llenar luego los surcos con sal para que nada pudiera crecer de nuevo.) Cartago volvió a ser un vital centro administrativo y económico, sólo que su influencia se dirigía, como la cabeza de un calamar, más hacia el interior de sí misma, de la provincia africana, que hacia su vocación marítima anterior.

Y luego el declive final: los vándalos tomaron Cartago en el 439 y aunque no la destruyeron puesto que estaban interesados en el mantenimiento de su puerto, tampoco fueron capaces de mantener aquella perla inmensa que tenían entre las manos. Y nuevamente las preguntas, las mismas preguntas, acuden a nuestra mente: ¿Cómo es posible que un pueblo pequeño como el vándalo, con un ejército violento pero raquítico, pudiera conquistar Cartago o, más aún, el conjunto del África Proconsular? Y nuevamente la respuesta hay que buscarla en la debilidad de las instituciones romanas en el Norte de África, en el desinterés por los temas imperiales, en la atracción por el comercio, en las intestinas luchas religiosas, en el rechazo del servicio militar... El año 692 marcó la llegada de los árabes a Cartago y la destrucción por al-Numan, y el desinterés absoluto por la ciudad que sólo sirvió ya como cantera inagotable para las construcciones que se emprendían en la vecina Túnez...

El problema para el viajero actual nace cuando desciende, junto con su carga de emociones y recuerdos, en la estación del T.G.M. Cartago-Salambó. ¿Por dónde comenzar tan dilatada visita? ¿Cómo asimilar todo lo que Cartago quiere aún mostrar al intruso que hasta ella se llega? De momento, debe prescindir de la primera invitación que le ofrecen los carteles indicadores que, continuamente, le salen al paso. El Tophet, el Santuario de Tanit y Baal Hammon, todavía no le dirá nada a su espíritu. En su lugar, los cercanos puertos púnicos se revelan como dos pequeñas lagunas de aguas pacíficas e indefinidos contornos. Entre ambos se levanta un edificio de una planta que muestra las ma-

69. Los tres niveles de la Colina de Byrsa: en la parte inferior, viviendas árabes actuales; a mitad de ladera, ruinas púnicas y romanas; arriba, la ex-catedral de San Luis

quetas del Puerto Militar, tanto en la época púnica, como en la romana. En ese puerto aun subsiste la isla –hoy, península– que durante el periodo dominado por los descendientes de Dido estuvo llena de gradas cubiertas para cobijar a los navíos de guerra. Más tarde, los romanos destruyeron, junto con toda la ciudad, esas gradas e instalaron en su lugar un templo y un faro, pero, caminando sobre la hierba alta que cubre todo su perímetro, aún es posible encontrar sus restos. La contemplación de una de esas gradas, apenas distinguible, puede mantener al visitante diez minutos (o veinte siglos) en reverente silencio, en recogimiento absoluto.

Más adelante, justo frente a la Estación Cartago-Hannibal del T.G.M., quedan los restos de la ciudad baja: el barrio de Magón con sus confusas ruinas que debieron contener algunas de las casas de mayor tamaño de Cartago, y cuyo único punto de interés real lo constituye un tramo de la primitiva muralla fenicia, construida hacia el siglo V a.C. Y luego, el sector del Parque Arqueológico de las Termas de Antonino, en muchos aspectos la construcción más imponente de la ciudad. Lo que queda a la vista pertenece a la zona de servicios de las Termas, al subsuelo, pero su situación de cara al Mediterráneo y la extensión que ocupan son realmente estremecedoras. Pertenecieron, por supuesto, a la ciudad romana en su época de máximo apogeo y su proyecto inicial es de la época de Adriano.

Desconozco si ese Emperador tuvo algo o nada que ver con el enfoque que se dio a la construcción de las Termas, pero su posición, ocupando un escue-

70. Sidi Bau-Said. Al oeste de Cartago, esta coqueta localidad cierra el Golfo de Túnez.

to recodo de la bahía, permanentemente lamida por las olas marinas, mirando lánguidamente hacia la lejana Roma, está animado por su sensibilidad. Y, como tantas veces ocurre con las obras de Adriano, su impronta, la emoción del más apasionante y apasionado de los emperadores que, junto con Juliano, dio el mundo romano, es más presente en el espíritu que en el nombre de las cosas que salieron de su mano.

La visión aérea, a baja altura, que se obtiene desde un pequeño mirador situado allí donde empiezan las calles apenas visibles que formaron este barrio costero, produce un impacto único, desacostumbrado, doliente: de pronto es la comprensión de la magnitud, el desconsuelo de no poder ver más, la imaginación que desborda los sentidos físicos y atiende sólo a sentimientos internos.

Todo lo contrario de lo que ocurre al otro lado de la carretera, en las Villas Romanas.

La reconstrucción excesiva de algunas muestras que nos llegan desde el pasado no es siempre la vía más directa hacia la apreciación. Dentro del recinto de lo que fue un barrio residencial de la Cartago romana, el esmero con que se ha actualizado una de sus villas hiere irremediablemente nuestra capacidad de intuir lo que fue. La Casa de la Pajarería, reconstruida en 1960, muestra el aspecto elemental de lo que podía esperarse de una de aquellas ricas mansiones que cubrían las faldas de Byrsa, pero la restauración abusiva sufrida desconcierta de forma notable. Es como si a un coche de los años veinte se le introdujera un moderno motor de seis cilindros y se cambiaran sus primorosos recubrimientos por otros de plástico. Probablemente el aspecto general no difiera sensiblemente del que tenía en origen, pero sabe a desleído, a inconsecuente, a falso... La inaudita vista que sobre el conjunto del Golfo de Túnez se obtiene desde ella, sin embargo, compensa el descrédito del remiendo llevado a cabo.

La Colina de Byrsa, contigua a la que contiene las Villas, el Teatro y el Odeón, domina igualmente todo el espacio que ocupó Cartago. Es además el único lugar de todas las excavaciones donde la presencia púnica conserva todavía toda la potencia de su antiguo esplendor. No debe esperarse por ello encontrar –¡tampoco aquí!– restos monumentales de las casas de hasta seis plantas que, según Appiano, cubrían la colina, ni tampoco del templo que la coronaba, ni mosaicos, ni paredes identificables, ni muestras evidentes de la vida cotidiana... Los barrios fenicios aquí también fueron, como todo el resto de la ciudad, reducidos a escombros por los hombres de Escipión. Hasta los mismos mastodónticos cimientos que soportaban el peso de los bloques de casas se utilizaron como basamento para explanar la Colina y construir sobre ella la Basílica, el Capitolio y el Foro romanos. La ironía de la historia es que tampoco queda casi nada reconocible de ellos: los árabes los desmantelaron totalmente y en la actualidad la Colina queda rematada por una masiva Catedral de desconcertante estilo, a medio camino entre lo morisco y lo bizantino, dedicada a San Luis, el rey francés que murió en Túnez en 1270, víctima de la peste que azotó a los miembros de la octava Cruzada en su camino hacia Egipto.

Pero el afán destructivo romano por todo lo que oliera a cartaginés tiene en la Colina de Byrsa su lado beneficioso para el visitante actual: las sistemáticas excavaciones emprendidas han sustraído a la acumulación de escombros los restos de esos cimientos ingentes que soportaban los edificios púnicos e incluso el aspecto esencial de algunas de sus casas.

Es cierto que, si no es guiado por las magníficas explicaciones que se ofrecen desde los distintos miradores de la colina, sería prácticamente imposible desentrañar el significado de cuanto queda a la vista, pero, recorriendo las inmensas moles de piedra y argamasa que se levantan por toda la ladera como dedos hinchados, es sencillo dejarse seducir por la fuerza que desprenden e imaginar cómo, en ese remoto pasado, debía ser el aspecto de semejante ciudad.

Los restos visibles de conducciones de agua potable y fecales denotan, además, la existencia de una preocupación especial por parte de los urbanistas cartagineses de otorgar a los habitantes de Byrsa adecuadas condiciones higiénicas y confort ciudadano.

Después de solazarse largamente con la contemplación del panorama que ofrecen las terrazas de la ex-Catedral de San Luis y de maravillarse con los restos menudos que se exhiben en el Museo Nacional, empapados ya de casi todo lo que Cartago está dispuesta a entregar, conviene regresar hacia los puertos púnicos.

Habíamos dejado un lugar sin visitar: el Tophet. El Santuario dedicado a la diosa Tanit y al dios Baal Hammon es hoy apenas un campo cubierto de verde riguroso. Pero pequeños túmulos y estelas indican que aquél era un lugar especialmente emotivo para los habitantes de Cartago: el lugar donde se sacrificaban los hijos de las familias aristocráticas cartaginesas. Durante periodos de relativa tranquilidad para la ciudad, los niños eran sustituidos por animales. Pero cuando la angustia de una derrota o de la previsible invasión de la ciudad oprimía el corazón de sus habitantes, la cuota de sangre exigida por los dioses tenía que ser real. Los niños eran quemados vivos y sus cenizas introducidas en urnas que decoraban macabramente el recinto del Santuario. Y ni siquiera a sus familiares más directos les estaba permitido dar muestras del sentimiento que el trágico ritual les entregaba: Tanit y Baal Hammon exigían que el sacrificio fuera ofrecido con agrado, para no menguar la magnanimidad de sus dones. Por eso, el llanto debía anegar, ahogado en mentirosas sonrisas, lejos del altar de los dioses, el barrio oriental de Cartago, aquel que cantó con tintes melancólicos y dramáticos Flaubert en su novela de igual nombre: *Salambó.*

El Tophet tiene que ser la última visita a Cartago. No puede concebirse de otra manera. Inmediatamente después se alcanzan los barrios modernos... y se dejan los recuerdos de la ciudad como permanecieron por todo un milenio: mirando al mar, volcada a un Mediterráneo que vio sus luchas seculares, las pasiones que destrozaron los corazones de sus habitantes y su gloria también. Y si a Cartago no le alcanzó el milagro que nos permita hoy contemplar todo su esplendor, al menos queda patente que la ciudad púnica y la urbe romana se niegan a morir, se resisten al olvido, permanecen en nuestro espíritu eterno mediterráneo.

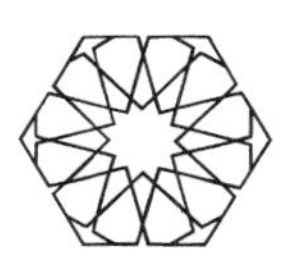

KERKUAN

Pero a los fenicios, a los fenicios en estado puro, hay que buscarlos en otro lugar.

Al oeste el Golfo de Túnez queda cerrado por una pequeña península en forma de bala (¿o de dedo acusador?) que apunta directamente a Italia. El istmo que la une al África continental está perfectamente marcado por la carretera que conecta la capital con el más alocado centro turístico de toda Tunicia: Hammamet.

Esa carretera –la única que calca el concepto europeo de autopista en todo el país– es algo más que una cinta de asfalto tendida entre dos localidades, puesto que representa el camino hacia la modernización que pretende seguir la nación entera. Los dos extremos –Túnez y Hammamet– son las caras más accesibles, más familiares, más hechas a imagen y semejanza de lo que puede esperarse como capital histórica de una país (cualquier país), en un caso, y de localidad creada para atraer el turismo de masas, en el otro. De la primera ya hablamos en capítulos anteriores, mientras que Hammamet es la conjunción en un área pequeña de todo aquello que motiva al viajero gremial: buenas playas, coqueta Medina, un imponente Ribat, campo de ruinas (las de la antigua Pupput) y sol y diversiones nocturnas para todos los gustos. Todo ello accesible desde modernos hoteles.

Al norte de la carretera, sin embargo, las cosas cambian deprisa. El paisaje que presenta el interior de esta pequeña península –la península de Cabo Bon–es, ya desde los alrededores de Grombalia, extremadamente evocador: las huertas de frutales, los campos extensos de olivos y vides contrastan favorablemente con el caos ciudadano tunecino y con el tipismo desnaturalizado de-Hammamet. Aquí nadie ha oído hablar de *begnessa*, ni de homosexuales o prostitución, ni tienen más horizonte que el que les regala una Naturaleza hermosa y apacible. Multitud de caminos sin asfaltar, pero en excelente estado de conservación, traspasan las colinas centrales. Pequeños oueds, riachuelos que matizan de color de acero el verde de las colinas, deambulan perezosamente entre grandes extensiones de cereales. Pastores, rebaños, agricultores, algún asno solitario, se reparten equitativamente la sorprendente visión de un extranjero transitando por sus pistas exclusivas.

Hombres y mujeres, sin embargo, visten invariablemente ropas de corte occidental, ellas siempre con tocado en la cabeza, ellos con frondoso bigote que no puede ocultar la sonrisa que asoma a su boca apenas se les pregunta algo.

Por la costa oeste, los cultivos alcanzan la misma orilla del mar, protegida naturalmente por una estrecha faja de tierra, que forma una larga laguna in-

71. Casa de las columnas frente al mar

terior, donde se detienen multitud de aves en sus largas migraciones estacionales. En esas aguas mansas los pescadores tienden sus redes intentando sorprender a los peces que se aburren indolentes en la somera profundidad.

Y, alcanzando el norte de la península, el litoral ofrece todos las cambios de humor que pueden esperarse de una tierra abierta a los embates del Levante, alternando tramos escarpados de rocas trágicamente moldeadas por los temporales, con dunas de arena que las olas mediterráneas acarician con sonoras e incesantes rompientes blancas.

Allí, a medio camino de la punta más oriental de la península y del propio Cabo Bon, están los fenicios. Allí queda Kerkuan.

Descubrir las ruinas de esta ciudad fenicia supone una de las más fascinantes experiencias que puede deparar al viajero un periplo por el urbanismo mediterráneo. Pero no por las razones convencionales que suelen animar ese descubrimiento. Cuando en 1952 (¡tan cerca!) la piqueta del arqueólogo comenzó a arrancar sus secretos a la breve planicie donde se sitúa Kerkuan, la emoción que supuso aquel hallazgo para el mundo científico fue enorme: por primera vez se conseguía desenterrar una ciudad fenicia a la que no se superponían vestigios de ninguna otra Civilización. En Tiro, Sidón, Cartagena o, como hemos visto, Cartago los vestigios existentes son tan fragmentarios o aparecen tan intrincadamente ensamblados con construcciones de época romana, posteriores o anteriores, que el análisis del modo en que vivían los fenicios antes del siglo III a.C. es más producto de conjeturas que de evidencias. Y si eso es así para los profesionales, qué no ocurrirá con el simple enamorado de la Historia que se mueve más por el impacto que sobre él provoca aquello que ve, que por la sesuda y paciente investigación ejercida sobre meros e incompresibles restos.

Por otro lado, el modo en que se estructura la ciudad, su regular tamaño, la vecina necrópolis, los restos del puerto, la distribución de las dependencias de las casas aún perfectamente discernibles, el trazado de las calles probablemente le digan más en un solo vistazo que la lectura árida y desapasionada de un gran tratado sobre la ciudad en la antigüedad.

Hasta es posible que se pregunte de nuevo, una vez contemplado el excepcional emplazamiento de Kerkuan, cómo es posible que la ciudad fuera abandonada durante la Primera Guerra Púnica (hacia el 250 a.C.) y nunca más se repoblara,permitiéndonos de ese modo su descubrimiento, más como si se tratara de un fósil que de una urbe en ruinas.

Pero, insisto, nada de todo ello, con todo lo importante que sea, supone la fascinación última que ejerce Kerkuan para quien hasta ella se llega, después de cruzar la península del Cabo Bon.

Cuando atraviese el pequeño aparcamiento anterior a la entrada al recinto quedará, estoy seguro, maravillado por la horizontal visión del conjunto de la ciudad, pero le impresionarán sobre todo las cosas menudas, los detalles, el color, el rumor obsesivo del cercano mar, y la vida, antes que nada, la vida que Kerkuan desprende a cada paso. Es como si, junto con la ciudad, hubieran quedado detenidas más de dos milenios atrás las actividades de sus habitantes; como si sus propios moradores nos enviaran aún, después de tantos siglos, un mensaje diáfano, claro, perfectamente comprensible: «Mirad, mirad, hijos del futuro, así vivíamos nosotros, así amábamos, así trabajábamos... así moríamos y éramos enterrados». Las piedras de Kerkuan hablan más desde el fragmento que desde la generalidad. El conjunto de sus casas, sus calles, sus tiendas y fábricas diseñan un adecuado marco para que la imaginación estructure el modo en que los fenicios concebían el concepto de ciudad, para que la mente se solace en la recreación de ambientes, de atmósferas perdidas para siempre.

Y sin embargo hay que trasponer el dintel de piedra erguida que da acceso a cada casa para alcanzar ese algo más. ¡La vida, la vida! Atravesar el pequeño corredor y llegar al patio sin porticar que invariablemente ordena los espacios habitables de cada mansión. En el centro, un pozo artificial, el suministro de agua para sus moradores. Y un pequeño altar lateral donde encomendarse a cualquier hora a las divinidades domésticas, aquellas que eran exclusivas de cada familia, que velaban por su bienestar individual, que les acompañaban en sus desplazamientos, que vigilaban su sueño eterno, el sueño de la muerte. Y una ¡bañera!, primorosamente construida de forma anatómica. Un canalón hacía las veces de vertedero, con desagüe en la vía pública.

Desde el patio se accede a la estancia central, el salón, el lugar público de la casa privada, y al resto de las habitaciones, todas cubiertas por un pavimento continuo rojo, incrustado de pequeñas piezas de mármol o conchas, cuya belleza reside en su uniformidad. La sensación es en todo momento de confort, de adecuada planificación de los espacios, de buena ventilación, de higiene, de evacuación consecuente de residuos.

Y esa planta básica se repite una y otra vez. Varía el tamaño y –debemos suponer– la suntuosidad de la decoración, pero –como sucedía en la lejana Timgad– todo parece indicar la existencia de una distribución igualitaria de la propiedad.

Del nivel de vivienda particular al de ciudad, nacen las calles. Rectilíneas o en curva suave, abriéndose en breves plazas, procurando una ventilación adecuada a todo el recinto urbano, de anchura diversa pero siempre suficiente, siempre en consonancia con la importancia del barrio por donde discurren y la previsión de circulación que deben soportar. Eficientemente pavimentadas, unas veces acercándose al mar, otras dirigiéndose a la necrópolis, o al puerto, o a los barrios residenciales, o a la zona de comercios y talleres. Y siempre, siempre, unos centímetros por debajo del dintel de las casas...

Como ciudad, en Kerkuan se adivina una preocupación por la meticulosa planificación urbana sin concesiones al gigantismo ni a lo agobiantemente pequeño. Lo práctico prima sobre lo ornamental, lo cotidiano sobre el anhelo de eternidad. Pero estamos hablando de fenicios ¿no? Y ésta es una ciudad de aquellos hombres que hicieron del día a día, de lo perecedero, de la transacción inmediata y del pago al contado, el fundamento de su existencia.

Y a estas alturas de la visita, cuando haya penetrado en todas las casas, recorrido cada una de sus calles, pateado impunemente los pavimentos rojos moteados de viruelas blancas, el viajero ya lo habrá echado en falta, habrá notado que hay algo imprescindible que no aparece, que se quiebran sus arquetipos urbanos. ¿Dónde quedan los espacios monumentales en Kerkuan? ¿Dónde arcos, pórticos, propileos, estatuas de prohombres, grandes templos, basílicas, palacios administrativos, teatros, circos, odeones, termas, letrinas públicas o, al menos, bibliotecas? ¿En qué parte de todo este entramado urbano quedan esas edificaciones que en buena medida son las señas de identidad del legado de las ciudades romanas o griegas o, incluso, árabes o cristianas medieva-

74. La presencia de un pequeño pozo y la bañera son una constante en todas las viviendas.
75. Pavimento típico con incrustaciones.

◄ 72. La impresión más notable que produce el conjunto de las ruinas, es de uniformidad en las viviendas.
73. Acceso con dintel a una casa.

les? No aquí. No en Kerkuan. Ni probablemente en todas las colonias fenicias de su época. Una sucinta muralla, más delimitadora del recinto que baluarte defensivo, parece la única concesión a lo superfluo (y, aún en este caso, relativo.)

Puede que sea, como tantas veces se ha dicho, que los fenicios no tenían tiempo para el embellecimiento de sus ciudades, para las artes, para la cultura, al contrario de lo que ocurría con romanos y griegos. Pero su empeño comercial y práctico no les convierte de forma inmediata en un pueblo insensible. En el fondo de las calas de sus barcos viajaban, junto a fardos y vasijas, las más avanzadas civilizaciones de Asia. Movieron la escritura por todo el Mediterráneo. Fundaron modos nuevos de relación entre los pueblos, más fundamentados en las transacciones en paz que en la opresión armada. Lo que ocurre es que edificaron sus ciudades con el único propósito de que fueran el mejor cobijo posible para sus habitantes, sin concesiones a lo poco práctico.

Kerkuan –lo he dicho ya– se orienta claramente hacia el confort, hacia la comodidad, pero desde lo individual y lo inmediato. Y esa quizás sea la razón de que queden tan pocos restos visibles en el charco mediterráneo de la Civilización fenicia. Ciudades que resistan al tiempo, monumentos que superen el espacio de una vida, memoria en piedra, ¿para qué?

Yo quiero imaginar a Kerkuan –y conmigo lo hará usted si algún día se llega hasta allí– como la imagen de hace dos milenios de una ciudad residencial moderna, planificada y dotada de todos los servicios que su tiempo permitía. Quiero imaginar a sus habitantes atareados en labores domésticas y de transformación. Y sin tiempo para veleidades. «¡Que construyan, que inventen, que pierdan el tiempo ellos!», parece ser su máxima existencial, «nosotros limitémosnos a modificar y distribuir lo que otros hacen... y a obtener saneados beneficios por ello.» Quiero imaginar –y hay evidencias de ello a lo largo de la visita– una ciudad compuesta de múltiples talleres y establecimientos y oficinas, y surcada de mercaderes obsesionados por el corto plazo y por las noticias que les llegan de cada rincón del Mediterráneo. ¿Dónde hay guerra? ¿En qué lugar hace falta qué? ¿Qué flotas piratas tiñen de sangre qué costas? Evaluando riesgos, fletando naves, oteando vientos, estibando los más diversos productos. Y quiero imaginarlos finalmente guardando celosamente los secretos de sus rutas y, especialmente, sus procesos productivos...

No existe en toda la ciudad un solo indicio de que sus habitantes ejercieran actividades relacionadas con la agricultura o la ganadería. Esas tareas debieron quedar en manos de los anteriores dueños de la península, con quienes comerciarían los fenicios. Los talleres de talladores, constructores, escultores, ceramistas, estucadores y artesanos en general ocupan la parte frontal de muchas viviendas. Las oficinas comerciales cuentan igualmente con sus espacios exclusivos. Pero sobre todo, a tenor de la gran cantidad de caparazones de *Murex* encontrados, parece que una fue la industria en la que se especializó Kerkuan: el Proceso Púrpura.

Y el color de las paredes, de las sutiles murallas, de los pavimentos y de la práctica totalidad de los vestigios que quedan en pie en Kerkuan, hablan en rojo. En rojo púrpura.

El nombre de Murex corresponde a un caracol corriente en el Mediterráneo. Su caparazón, erizado de protuberancias puntiagudas y dotado de una largo sifón, es una imagen habitual en las playas de nuestras costas. Los alrededores rocosos de la península del Cabo Bon son un adecuado hábitat para el desarrollo de estos caracoles, y los fenicios, ya desde antiguo, venían utilizando sus partes blandas en un proceso que daba como resultado un tinte, cuya estabilidad le dio merecida fama en toda la antigüedad.

Los habitantes de Kerkuan debieron traer consigo a las costas tunecinas la técnica precisa para la obtención de este tinte –la púrpura–, y, debido a su posición geográfica y a las especiales características del litoral del Cabo Bon, la industria derivada de ella se convirtió en la principal fuente de ingresos para la ciudad.

Pescaban los caracoles a lo largo de toda la costa peninsular, ayudándose de complejos armazones diseñados específicamente para esta labor. Posteriormente se extraía el cuerpo del animal de su caparazón y se ponía a hervir en grandes recipientes de plomo durante varios días. El hedor debía ser insoportable en los alrededores de los locales donde se procedía a la ebullición permanente del *Murex*, pero cuando, transcurrido el tiempo preciso para ello, la pulpa resultante adquiría suficiente consistencia y uniformidad, el tinte quedaba listo para su uso. No había más que introducir las prendas que se deseaba teñir en los recipientes, empaparlas concienzudamente y, posteriormente, proceder a su secado. El resultado era un tejido de un color rojizo apagado –el púrpura– cuya solidez y resistencia estaban garantizadas por los fenicios.

Las prendas teñidas de púrpura conseguían, debido a sus propiedades únicas, elevadas cotizaciones, de forma que exclusivamente podían acceder a su adquisición los grandes señores de la antigüedad, asimilándose el nombre del tinte a la misma esencia del poder político o religioso.

Solamente en un momento de su vida los habitantes de Kerkuan –y, con ellos, todos los fenicios– olvidaban sus argumentos existenciales, dando paso a la ostentación, a la fatuidad, a lo poco práctico. Y ese momento era precisamente aquel en que la vida se acaba.

La Necrópolis de Kerkuan, descubierta en 1968, presenta en algo más que un solar grande (170 metros de largo por 100 de ancho) más de doscientas tumbas, cuyo admirable contenido se exhibe en el recoleto museo de las propias excavaciones. Las tumbas corresponden a dos tipos de enterramiento: las más sencillas, simples fosas horadadas en la roca, y las suntuosas tumbas de habitación, cuya sala central contenía un rico mobiliario, con cerámicas, objetos de bronce, sarcófagos joyas y una decoración donde dominaba el color (¿ya lo ha adivinado?) rojo.

En definitiva, la presencia de la muerte y la esperanza de una vida ultraterrena ablandaba los duros corazones fenicios, al igual que ocurría con el resto de los pueblos mediterráneos, inclinándolos a proveerse de todo lo necesario para el gran tránsito.

En Kerkuan, más que casi en ningún otro lugar, se accede de forma directa al conocimiento intuitivo del modo en que aquellos hombres concebían su paso terrenal y sus esfuerzos en pos de la otra vida, posterior a la muerte. La ausencia más que evidente de todo lo que en nuestra mente (¡sólo en nuestra mente!) caracteriza y da vigencia a una Civilización, puede que dificulte la comprensión última de sus motivaciones. Pero, en contrapartida, en el caso concreto de Kerkuan, cuando una ciudad obtiene el beneficio de la conservación a lo largo de los siglos, el calor humano, el olor a vida, es más patente, más real, más tangible. Y por eso su visita se hace imprescindible para comprender al pueblo que la creó. Porque muchos criterios preconcebidos se modifican contemplándola. Porque su belleza reside en la armonía, en la falta de estímulos accesorios que distraigan la atención. Y esta ciudad, Kerkuan, se manifiesta así, volcada a un mar que le entregaba sus medios de subsistencia, interesada en el comercio y las actividades industriales y artesanales, comprometida únicamente en dar calidad de vida a sus habitantes, como una típica y, con toda probabilidad, tópica ciudad fenicia.

Única, sin duda.

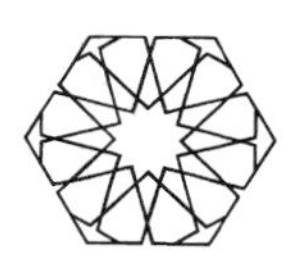

SBEITLIA

Una de las razones por la que la Historia, apartada la estéril erudición de quienes sólo ven en ella hechos y cifras, resulta tan estimulante para el espíritu humano es el inmenso poder de evocación que tiene. Cualquiera que viaje en nuestros tiempos por el Norte de África, con la contemplación de los múltiples vestigios urbanos que permanecen aún en pie de la época romana, no puede por menos que maravillarse de la grandeza de la civilización que les dio vida, rememorar apasionadamente con los ojos de la imaginación aquellos paisajes, aquellas ciudades, aquel mundo perdido en el tiempo. Independientemente de lo que la Historia diga sobre ellos.

Por muchos motivos, a los que no son ajenos los distintos modos de vida, las diferencias culturales, incluso las convicciones religiosas, todavía resulta difícil para un europeo atravesar el Magreb. Es inconcebible que unas tierras, geográficamente tan cercanas puedan resultar tan extrañas, tan ajenas, tan alejadas de las que nos son familiares, como el Occidente africano. Marruecos, Argelia y Tunicia aparecen ante nuestros ojos luchando bravamente por modernizarse, por desprenderse del yugo que les mantiene anclados en un pasado sin evolución. Pero la intransigencia unas veces, el arraigo de unas costumbres y creencias profundamente asentadas en la mente de sus habitantes otras, ralentiza, cuando no detiene completamente, todos los esfuerzos encaminados al progreso.

Y si eso es así en nuestros días, cuando los medios de transporte parecen capaces, por vía de la velocidad que impregna todos los aspectos de nuestro tiempo, de unir cualquier punto del mundo mediterráneo en cuestión de horas; si los medios de comunicación parecen autorizados a transmitir la información en todos los sentidos, con todos los contenidos, de manera inmediata; si los contactos entre las distintas naciones son continuos; y si, finalmente, el Mediterráneo ha quedado convertido en apenas un charco, contaminado de electrónica, de noticias y de basura, donde unos millones de habitantes, como apretado grupo de amebas, se rozan continuamente, saben de sus vidas, de sus pensamientos, de sus intenciones más que nunca antes supieron, ¿qué debió ser este mismo viaje en el pasado?

Antes de la llegada de los romanos, el África Noroccidental era dominio de unos bereberes de convicciones nómadas y de negroides surgidos del tórrido sur. Fenicios y griegos situaron tímidos asentamientos lamiendo siempre la costa; como no queriendo interferir con las tribus que habitaban la región; como diciendo: «nuestro interés es el mar, seguid vosotros ocupando las tierras

76. El Foro estaba rodeado por murallas de cuatro metros de altura.

77. Arco de Diocleciano

del interior». Pero, en pocos años, aquellas resueltas legiones imperiales romanas modificaron la geografía política magrebí hasta dejarla irreconocible.

Seiscientas ciudades entre Marruecos y Libia. ¡Seiscientas! ¡Parece imposible! Y caminos, calzadas romanas enlazando todos los confines de las provincias africanas. Encrucijadas que repartían el tráfico de mercancías, ejércitos y noticias como agua canalizada en todas las direcciones imaginables.

Una de ellas, Theveste, localizada en las cercanías de la actual frontera entre Argelia y Tunicia, doblaba la ruta que llegaba del oeste profundo, a través de nuestra ya conocida Thamugadi (Timgad), en dos ramales: uno marchaba hacia Tapacae –la actual Gabes–, en la costa del Sirte Menor (Golfo de Gabes), desde donde, costeando, visitaba Sabrata, Leptis Magna y la lejana Alejandría; el otro, menos pretencioso, ascendía por Sufetula (Sbeitlia) y Thuburbo Majus, hasta la mismísima Cartago.

Ciudades, aldeas, castros militares, calzadas, caminos, rutas más o menos planificadas que zurcían con hilo de piedra y polvo el Mediterráneo entero.

Pero, con todo lo importante que pudieran ser para el comercio, el control militar y la general circulación de carretas, informes y ejércitos por las vías imperiales, entonces, como ahora, el itinerario más directo de comunicación no estaba empedrado, ni contaba con márgenes delimitadores, ni tenía un trazado definido. Era el mar. El Mediterráneo mismo.

Y esto es algo que comprendió perfectamente el exarca Gregorio, quien gobernaba en nombre del emperador la provincia africana desde la opulenta Cartago.

Durante la primera mitad del siglo VII, los restos del Imperio Romano administrados por Bizancio pasaban por tiempos difíciles. El periodo de gobierno de Heraclio (610-641) se caracterizó por una conjunción de catástrofes y estímulos anunciadores de una futura vitalidad, pero que, de momento, resultaban extremadamente preocupantes. En el exterior, la amenaza persa y eslava obligaba al repliegue defensivo. Las recién aparecidas ordas árabes se revelaban como una futura fuente de problemas. Mientras que en el interior se hacía necesaria una profunda reforma de la administración imperial.

A todas estas convulsiones que sacudían el mundo mediterráneo no eran ajenas las importantes ciudades provincianas. Y Cartago menos que ninguna. Al permanente estado de tensión política, religiosa y económica que la pujante colonia vivía, se unió precisamente la amenaza árabe y el sentimiento de sentirse abandonada a su suerte por los ejércitos imperiales, ocupados en otros lugares. Desde el 642 Egipto podía considerarse perdido a manos de las huestes musulmanas. Los ejércitos del Profeta avanzaban por la Cirenaica y la Tripolitania sin que nadie pudiera frenar sus incursiones. El morro occidental del Magreb se sentía amenazado.

Y Gregorio tomó la decisión: rechazando la autoridad de Bizancio, se proclamó emperador. De todas formas, debió pensar, poco podía esperarse de la lejana metrópoli.

78. Foro y templos capitolinos. ►
79. Interior de uno de los fortines bizantinos.

80. Pila bautismal en la basílica cristianal. ► ►

El patricio Gregorio pudo ser un soberbio, pero no un estúpido. Así que, a medias por encontrarse más cerca de las regiones del interior donde podía controlar más adecuadamente los movimientos árabes, a medias por separarse de ese camino marítimo por el que podía llegarle la contestación bizantina más rápidamente, se trasladó de Cartago a Sbeitlia, poniendo así unas cuantas desmotivadoras montañas entre él y el Mediterráneo.

La ciudad, situada como comenté en la ruta entre Theveste y Cartago, era ya un municipio a principios de nuestra era. Todas las fuentes que consulto en demanda de su origen, se empeñan en negarme la información. Pero, ¿a quién importa cómo o porqué se fundó? Lo cierto es que fue el lugar donde buscó cobijo Gregorio y donde aún permanecen unos restos impresionantes para atestiguar que alguna vez tuvo capital importancia en las decisiones norteafricanas.

Y su historia breve y triste también sigue narrándose, a través de los siglos, en cada una de sus piedras.

Bajó pues Gregorio con su corte y sus generales a organizar su flamante reino. Sbeitlia le esperaba con sus edificios color ocre engalanados. Los pocos miles de habitantes que allí vivían sintieron que sus existencias alcanzaban una nueva dimensión, se suponían en el centro del mundo. ¡Capital imperial! ¿A qué más podían aspirar? La que hasta entonces no había pasado de ser una oscura civitas, de pronto, relegaba a la imponente Cartago, quedaba en el ojo del huracán, alcanzaba la gloria, la eternidad histórica. Pronto la amplia meseta que, a 537 metros sobre el nivel del mar, señalaba su asentamiento se vería saturada de monumentos, surcada por hombres de negocios, políticos, mercaderes, potentados llegados desde todos los rincones del África norteña. El comercio afluiría a la ciudad y la colmaría de riquezas. De hecho, ya Gregorio desembarcaba entre los muros de Sbeitlia sus bienes y los de sus seguidores, apartándolos de la cercanía marítima y de la posible codicia bizantina.

Sí, sin duda la llegada del patricio era una buena noticia para la ciudad. Heraclio había muerto y su sucesor Constantino II Pogonatos bastante trabajo tenía con sacudirse los problemas que se le venían encima. Omar, el «Señor de los Creyentes», también había rendido su vida a Alá, y el Omeya Otmán parecía más interesado en poner las cosas difíciles a Bizancio que en proseguir indefinidamente su avance por los desiertos costeros libios: Egipto era una excelente presa ya consolidada. Por último, los bereberes, que tantos problemas habían creado con sus incontroladas incursiones al Imperio, suponían un excelente escudo para la penetración árabe. Parecía, por tanto, que habría un respiro para preparar la resistencia, que Gregorio podría organizarse antes de que se produjera el asalto musulmán, si es que llegaba a producirse.

Pero ¡ay!, a veces las cosas discurren por cauces absolutamente inesperados. El Emir de Egipto, Abdallah Ibn Saad, decidió un día echar un vistazo más allá de Sirte y Tripolitania, y penetró al mando de un ejército de 20.000 hombres en tierras tunecinas. En una rápida incursión conquistó Sbeitlia y asesinó al bueno de Gregorio, apoderándose de todas sus riquezas y matando o esclavizando a la mayoría de sus habitantes.

El sueño capitalino de la ciudad había durado apenas un año. Y lo chocante de esta historia –y trágico para Gregorio–, es que ni siquiera aquel Ibn Saad permaneció mucho tiempo en la región. De hecho la verdadera invasión árabe del Magreb no se produciría hasta veinte años después, lo que estaba cerca de los cálculos del patricio, y, de no haberse producido la llegada del Emir, probablemente le hubiera dado tiempo a prepararse. Ibn Saad se limitó a realizar varias racias por la zona del Chott el Jerid, la región meridional predesértica de Tunicia, y regresar a Egipto. Sólo fue un tanteo, una incursión sin excesivas ambiciones que, sin embargo, posibilitó la conquista definitiva.

Algunos historiadores árabes vistieron posteriormente la batida de Ibn Saad con tintes legendarios, especialmente por la cantidad de riquezas que consiguieron arrebatar de Sbeitlia, pero lo cierto es que sólo la casualidad y la oportuna llegada del Emir facilitaron la inesperada victoria.

Sbeitlia había perdido su esplendor tan rápidamente como lo consiguió. Y aunque su historia siguió, su gloria fue tan efímera como la de una etérea mariposa primaveral. Y Gregorio apenas merece alguna línea perdida en los libros de historia.

Quizás por ello, la visita a las ruinas de la ciudad guarda más arrebatos de esa evocación que mencionaba al principio, que impulsos intelectuales. Quizás por ello, Sbeitlia, la vieja Sufetula, se contempla con una mirada distinta a la que converge en otras ciudades romanas del Magreb: más emotiva, más sentida, más descorazonadora.

Parece como si las propias piedras, la disposición misma de las ruinas quisiera avisar al viajero, ponerlo en antecedentes, certificar antes que nada que fue el reducto de Gregorio.

Apenas cruzada la verja que da acceso al asentamiento de la ciudad, al borde mismo de la carretera general que conduce de Feriana a Kairuán, la primera visión que se obtiene es la de dos fortines bizantinos fechados en tiempos del patricio o poco después. Algunos visitantes de Sbeitlia han escrito que estos restos bizantinos quedan eclipsados por la magnificencia de las edificaciones anteriores a ellos. Y sin duda es cierto: el aspecto macizo, sólido y poco agraciado de las pequeñas fortalezas contrasta con la ligereza ocre del resto de la ciudad. Pero, ya lo he dicho, Sbeitlia es una peregrinación más emocional que intelectual. Desde encima del muro de uno de los fortines puede observarse la estructura espartana del interior, contrastando con la presencia inesperada de un baño cubierto de mosaicos de peces.

Más adelante se descubren los restos de una iglesia bizantina dedicada a los santos Gervasio, Protasio y Trifón, los dos primeros, mártires milaneses célebres por el culto a sus reliquias instigado por el Arzobispo de Milán Ambrosio, mientras que el Santo Trifón, a quien aquellos aparecen asociados, es originario de Asia Menor.

Y tras el preámbulo bizantino comienza el grueso de la ciudad romana, anterior a Gregorio. Una ciudad que, a tenor de los vestigios que quedan visibles, debió ser coqueta y bien estructurada. La perfección de la planimetría romana, que se descubre sólo observando el trazado del Cardo y el Decumanus, per-

81. Templos del foro dedicados a la tríada capitolina. ►
82. Acueducto romano que suministraba agua a Cartago (Valle del Miliane).

83. Los fortines bizantinos. Al fondo, el foro. ►►
84. Campiña central tunecina entre Sbeitlia y Dougga.

85. Los trabajos continúan en las ruinas.

mite presumir que su fundación no se superpuso a ningún asentamiento preexistente. Las excavaciones, realizadas en dos etapas, de 1906 a 1922, y de 1954 a 1966, se habían reemprendido a buen ritmo en mi última visita (1993). Multitud de trabajadores se afanaban en el recinto, aunque al parecer ocupados más en el embellecimiento con plantas ornamentales y la restauración de lo ya excavado, que en el descubrimiento de nuevos tramos ciudadanos. Otra vez observé aquí la omnipresente voluntad de las autoridades tunecinas por ofrecer del modo más atractivo posible la oferta turística del país a sus visitantes.

Al norte de los fortines, una enorme cisterna, cercana a las termas, suministraba el agua necesaria a la población. Y un poco más allá regresan los recuerdos de Gregorio, puesto que el Foro, una amplia plaza adoquinada que en tiempos de bonanza debió estar exclusivamente delimitado por soportales y pequeñas tiendas, aparece rodeado por un muro que debía alcanzar los 4 metros de altura, al que se eliminaron casi todas las puertas de acceso con objeto de convertirlo en un último bastión defensivo de la ciudad. No hubo tiempo sin embargo para construir torreones, ni troneras, ni el obligado camino de ronda. Ibn Saad no lo otorgó.

Pero si la estructura general de la ciudad en los tiempos inmediatamente anteriores a la conquista árabe habla de una marcada preocupación por la defensa, el mismo Foro guarda contradictoria memoria de cuando esa preocupación no era tan notable. Los tres templos del Capitolio, dedicados a Júpiter, Juno y Minerva, cerrando el Foro por el lado noroeste, otorgan un aura especial a las ruinas de Sufetula que, a la luz del atardecer, se revela en reflejos dorados de sus piedras, en sombras que corretean por la pradera verde aún sin excavar y en deliciosos contraluces. La misma dedicatoria de los templos indica claramente al viajero la vocación previa de la ciudad: dejando un poco al margen al dios supremo del panteón romano, Júpiter, la diosa Juno se asocia a la condición femenina, a la vida matrimonial, a la estabilidad que perseguía la colonia. Minerva, por su parte, era la diosa de la sabiduría, la artesanía y el comercio. Ambas simbolizan el camino perseguido por los habitantes romanos de Sbeitlia anteriores a Gregorio.

Ascendiendo a la plataforma que eleva a los tres templos por encima del bien y del mal ciudadano, se obtiene un panorama inolvidable sobre el conjunto de las ruinas. Como una visión recurrente, como el sello de identidad que homologa Sbeitlia dentro del orbe romano, las Grandes Termas despuntan entre ellas. Y, del otro lado, la espléndida Casa de las Estaciones, cuyo mosaico de una de sus salas (hoy en el Museo del Bardo, en Túnez) retrata al historiador griego Jenofonte, expresa en piedra toda la prosperidad que vivió la ciudad.

Una última mirada a los restos del teatro, situados como en el caso de Djemila mirando lánguidamente al oued, entregarán al visitante toda la nostalgia, toda la impotencia, toda la ilusión marchita de la ciudad que un día quiso ser capital de un imperio que agonizaba aún antes de su nacimiento.

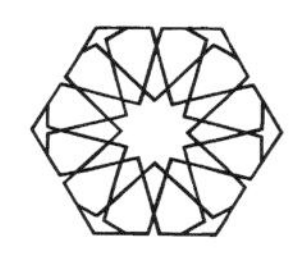

DOUGGA

Lo bueno que tiene el papel escrito es que autoriza cualquier salto temporal o geográfico sin alterar la esencia de las cosas ni las condiciones de los individuos. Ahora, por ejemplo, podemos abandonar por un momento los extensos campos de cereales y los olivares del Tell tunecino y, en el transcurso de una sola línea, trasladarnos a otro paisaje mediterráneo: allí donde los griegos son turcos y donde Turquía forjó cultura helena. Me refiero, claro está, a la costa egea de Anatolia.

A medio camino del litoral asiático que mira a Europa, se encuentra una de las ciudades helenísticas y romanas que más impresiona a todos los viajeros que hasta ella se llegan. Éfeso, blanca de mármoles y de historia, es una joya ciudadana única en el entorno mediterráneo. Asentada a horcajadas de los montes Coresos y Pión, guarda tal cantidad de maravillas y en tan perfecto estado de conservación que su visita justifica todo el esfuerzo que requiera realizarla.

Pero no es Éfeso propiamente dicha la que me impulsa a llevarle en este imaginario vuelo hasta Asia Menor. De esa ciudad hablaremos por extenso en otro momento, dialogaremos con sus piedras desde otro lugar de esta visión sentimental y parcial del urbanismo que nos es más cercano. Si me decido a proponerle este salto es simplemente porque en los alrededores de la ciudad tunecina que me propongo contarle, Dougga, recibí una sorpresa – y al mismo tiempo una revelación- que me gustaría trasmitirle y que está en íntima relación con algo situado en la ladera del Pión opuesta a la de Éfeso.

Muchas veces se discute la realidad de una cultura única mediterránea de la que nuestra Civilización actual es tributaria. La diferenciación Norte-Sur se esgrime como argumento para señalar las variaciones y no las confluencias. Es como si todos nuestros dioses, nuestras costumbres, nuestras tradiciones, el fundamento último de nuestras actitudes ante la vida no tuvieran un tronco común. Como si no fuéramos partícipes de un modo de ser, de una historia, a veces escrita, a veces presentida, que partiendo como una ola inmensa del profundo Oriente barrió todas las costas de este mar estrecho. Y no es así. Demasiadas tradiciones ancestrales, demasiados lugares comunes en los mitos, demasiadas historias menudas que la Historia no puede contar, ponen en relación directa cada rincón de este Mediterráneo.

Y lo que ocurre en la ladera del monte Pión, y lo que ocurre en las inmediaciones de Dougga, en el Djebel Goraa, es prueba más que fehaciente de ello.

86. Templo de Saturno.

A espaldas de Éfeso, escondida en una grieta del Pión, se encuentra la denominada Gruta de los Siete Durmientes. Para muchos estudiosos de la Historia anterior a la historia escrita, éste era un lugar de culto de la Diosa Madre mediterránea. Pero con los mitos ocurre como con las ciudades: nuevos habitantes superponen sus creencias en el caso de las ideas, sus construcciones tratándose de poblaciones, a las preexistentes hasta que las primitivas acaban perdiendo sus contornos. Y aquí ocurrió exactamente eso: a la leyenda del antiquísimo santuario se superpuso un nuevo culto, un creencia reciente, un mito paralelo que, como el primigenio, ha recorrido de este a oeste, de norte a sur, el Mediterráneo entero.

El lugar de la Gruta de los Siete Durmientes, contemplado desde nuestros ojos modernos, es sobrecogedor. Las tumbas abiertas y vacías que contiene, los restos inestables de una basílica cubierta de musgo, con sus paredes en amenaza permanente de desplomarse sobre el visitante curioso, el ambiente hosco, cerrado, casi impuro de la grieta, produce una cierta sensación de temor, de miedo atávico en todo aquel que penetra en solitario en su interior.

Según los términos de la leyenda, siete jóvenes cristianos habitantes de la vecina Éfeso se refugiaron en la cueva huyendo de la persecución de que eran objeto por parte de las autoridades paganas. Eso no evitó que fueran descubiertos y que los soldados perseguidores tapiaran la entrada para dejarlos morir de inanición. Los siete muchachos cayeron en un profundo sueño, del que despertaron con vida 200 años después, encontrándose una Éfeso ya profundamente cristianizada. A su muerte real, los siete durmientes fueron enterrados en el mismo lugar, convirtiéndose así la gruta en lugar de peregrinación, sustitutorio del original dedicada a la Diosa Madre.

Regresemos ahora a Tunicia.

Un desvío a la izquierda de la carretera que conduce desde Túnez a la frontera argelina por Beja, a la altura de Bou Salem, lleva hasta Teboursouk y Dougga. Poco antes de alcanzar nuestro destino se atraviesa la localidad de Thibar (donde los Padres Blancos fundaron un seminario en 1895) desde la que se puede acceder a la ladera opuesta a Dougga del Djebel Goraa. La región se encuentra saturada de rocas en las que se abren multitud de cuevas que fueron utilizadas –algunas de ellas aún conservan su uso en la actualidad– como viviendas y apriscos para el ganado. Pues bien, una de esas cuevas se conoce como ¡la Gruta de los Siete Durmientes! y la tradición recoge las peripecias de siete jóvenes cristianos que se refugiaron allí, huyendo de las persecuciones, y durmieron durante 309 años...

En realidad, la leyenda de los siete durmientes se repite una y otra vez por toda el área mediterránea; es incluso un dogma incluido en el capítulo XVIII del Corán, y aunque éste no es el lugar ni yo el erudito capaz de extraer las conclusiones que ese paralelismo infiere, no puedo por menos que dejar constancia de ello.

Porque, además, no es único.

También el culto a la Virgen María alcanza en los alrededores de Éfeso, donde se dice que murió, una significación tan especial como en las cercanías

87. Los restos de la ciudad miran permanentemente la campiña. ►
88. Teatro.

de Dougga, cuya cueva dedicada a Nuestra Señora de Goraa parece asumir la presencia de cultos muy anteriores al cristianismo.

Y, para colmo de similitudes, aunque en este caso nada tengan que ver con religiones ni leyendas, Éfeso y Dougga se encuentran ambas emplazadas a lomos de los montes, su estado de conservación es exquisito y son dos de las más hermosas visitas ciudadanas que pueden realizarse en el Mediterráneo entero.

De Dougga recuerdo a un asno blanco y también que la intuí como una síntesis del devenir mediterráneo.

Por una vez, su asentamiento ha permanecido habitado desde la más remota antigüedad hasta nuestros días. Su estructura urbana no guarda el esquema característico de ninguna otra y, sin embargo, los contiene todos. Y sus restos apuntan desafiantes a todas las culturas, a todos los habitantes y a todos los rincones del Mediterráneo.

Me encanta, al tiempo que me desconcierta, toparme con Dougga en las más dispares lecturas. Frank Kolb, en su magnífico análisis de la ciudad en la antigüedad, la sitúa como el centro de una región eminentemente agrícola, granero africano de Roma. La sesuda *Historia de la vida privada*, dirigida por Paul Veyne, coloca a Dougga como ejemplo de ciudad africana dotada de ricas mansiones señoriales. Aunque quizás la referencia más enigmática sea la que hace Juan G. Atienza, el autor de *Guía de la España mágica*, en su libro *En busca de la historia perdida*, catalogándola como la ciudad mistérica del Magreb.

Pero todas las citas, todos los comentarios, todos los títulos más o menos afortunados que puedan hacerse sobre Dougga no son nada comparado con la realidad que presentan los restos de la ciudad colgada sobre un panorama de verdor absoluto en lo más abrigado del corazón tunecino.

Llegando desde el norte, desde Teboursouk, la impresión que produce el pausado acercamiento al morro puntiagudo que los contiene es como si la mancha negra, a contraluz, de la colina fuera un inmenso telón descorriéndose, descubriendo poco a poco el contenido de un inmenso escenario. Primero es el templo de Saturno y los vestigios de la Iglesia de la Victoria. En la revuelta del aparcamiento se presenta el primer teatro, curiosamente pequeño para una ciudad de semejantes dimensiones. Y, derramándose colina abajo, el resto de la ciudad: casas, templos, palacios, prostíbulo, termas... para rematar al fondo, en su majestuoso aislamiento, con la torre puntiaguda del mausoleo libio-púnico.

Desde ese primer visual contacto, un libro de historia, con bien definidas páginas, atrapa todos los rincones de la ciudad. Un libro que, como la *Rayuela* de Cortázar, puede leerse desde cualquier ángulo, empezando por no importa qué sitio, puesto que su lectura conduce de forma precisa a un único final, a la constatación inequívoca del modo en que un privilegiado espacio geográfico provoca el asentamiento humano estable, al tiempo que regresa la eterna pregunta de por qué se abandona un recinto que durante cientos de años fue útil, sin que se modifiquen esencialmente las condiciones que le otorgaron el beneficio de la vida humana en su solar.

Cuatro son los ingredientes que convergen en Dougga para hacerla atractiva a los ojos de los posibles pobladores. Primero, su posición elevada, difícilmente expugnable, vigilante siempre desde su altura de más de quinientos metros. Luego, el llano circundante, fértil y tan válido para el cultivo como útil desde la perspectiva de una táctica defensiva basada en la observación de la llegada de cualquier enemigo. Un clima suave y la presencia de numerosas fuentes naturales de agua (especialmente los manantiales de Ain Doura y de Ain Mizeb) completan el diseño natural del paraje de Dougga. Y esos cuatro ingredientes forman la estructura del libro de la ciudad.

Leámoslo desde el principio.

Para ello, para empezar el libro de Dougga, es necesario dejar las inmediaciones del teatro y, tomando el camino que nace a la izquierda de unos confusos restos, atravesar la muralla prerromana de la ciudad (de origen probablemente púnico) e, inmediatamente después, girar nuevamente a la derecha. No existe ninguna indicación, pero tampoco es fácil perderse: una senda muy visible conduce hasta un grupo de dólmenes, fechados en distintas épocas, probables túmulos funerarios de los primeros habitantes bereberes de la colina.

Desde ese prólogo incierto, la continuidad de Dougga debió ser púnica. Desalojados como venía siendo habitual los primitivos moradores bereberes, colonos cartagineses o, incluso antes que ellos, fenicios procedentes de Utica fundaron ya una verdadera ciudad entre los manantiales del cerro. De ella queda la muralla citada y, sobre todo, el mausoleo libio-púnico.

Este airoso monumento, espléndido en su ejecución y único en todo el ámbito mediterráneo (sólo se ha encontrado algo similar en Sabrata, en tierras libias) contiene en sí mismo influencias decorativas que le llegan desde el remoto Oriente, hasta el arte egipcio, pasando por el griego arcaico... todo un cúmulo de créditos dispares reunidos en un singular dedo de piedra.

Pero el mausoleo, al tiempo que un impagable recuerdo de una época –aquélla en que los príncipes númidas y fenicios dominaban el Norte de África– sin muchos recuerdos visibles en la actualidad, es el permanente e imperecedero reflejo de la estupidez y la ambición humanas.

De hecho, lo que hoy puede observarse es una reconstrucción del mausoleo realizada entre 1908 y 1910 con el material original esparcido por los alrededores, después de su derrumbe en 1842. Y es que hubo un tiempo, que alcanza desde el siglo XVIII hasta ahora mismo, en que el expolio de los restos del pasado era un deporte tan depredador y destructivo como la caza indiscriminada. Multitud de aficionados a la historia o a la arqueología tenían como diversión preferida con que dar aliciente a sus largos destinos en países alejados del suyo propio, expoliar todos los restos históricos que encontraban a su paso, nutriendo así colecciones particulares o museos nacionales, y convirtiéndolos por tanto en cultura enlatada, ajena a su entorno. Toda la mitad oriental del Mediterráneo sufrió especialmente este modo de mutilación. Ingleses, franceses y, en menor medida, alemanes fueron los más aventajados bárbaros cirujanos, aunque no los únicos. De tal forma fue concienzudo el expolio que, en ocasiones, es más sencillo estudiar determinados aspectos de marchitas civilizaciones en las salas acondicionadas del British Museum o el Louvre que en aquellos lugares en que se desarrollaron y murieron.

Y el mausoleo libio-púnico de Dougga no fue una excepción.

Esta vez el responsable –del que desgraciadamente no he sido capaz de localizar el nombre para vergüenza de sus descendientes–, fue el Cónsul de

91. Mausoleo libio-púnico.

◄ 89. Entrada al pequeño foro de la ciudad.
90. Vista general de las ruinas en la ladera.

Gran Bretaña en Túnez. Se le ocurrió que la inscripción bilingüe que figuraba en el monumento quedaría perfecta en el «British». Así que decidió arrancarla sin importarle demasiado que, tras ella, se viniera abajo toda la torre funeraria.

Hoy su imagen milenaria vuelve a estar en pie, su figura esbelta destacando sobre el verde primaveral de los extensos campos de cereales del valle es nuevamente el sello característico de Dougga. Pero si usted desea contemplar la estela bilingüe, tendrá que viajar hasta Londres...

La siguiente página de la historia de Dougga tiene nombre propio, pero no aparece escrita en piedra. El nombre es Masinisa y corresponde a un rey de Numidia que fijó su residencia en la ciudad, tras arrebatársela a los púnicos, del 160 al 155 a.C.

Seguramente Masinisa hubiera pasado por los anales del tiempo sin que su nombre fuera recordado más que el de tantos otros oscuros líderes de las infinitas tribus bereberes del Norte de África si no fuera por dos razones: una, porque intentó la unificación del pueblo bereber en un único reino; y la segunda, porque se alió con Roma incondicionalmente en sus guerras contra Cartago.

Y, en este caso, el calificativo de incondicional que aplico a la alianza del númida con los romanos no es simplemente una forma de hablar.

En las luchas intestinas que en las postrimerías del siglo III a.C. mantenían las facciones rivales númidas, Masinisa, rey por entonces de los masilios, derrotó con el apoyo romano a Sifax, monarca de los masesilios.

Este Sifax estaba casado con Sofonisbe, hija del mismísimo general cartaginés Asdrúbal. Su padre, evidentemente, había inculcado en la mente de la joven el consabido odio eterno a Roma. Pero cuando cayó en manos de Masinisa –con el que cuentan las crónicas amarillas de la época que estaba prometida antes que con Sifax– el caudillo númida vencedor la desposó a su vez.

El problema sobrevino porque Escipión, plenipotenciario romano en los asuntos cartagineses, temía de la influencia de Sofonisbe sobre Masinisa y de que le hiciera volverse contra Roma en auxilio de Cartago. Por ello exigió que entregase a la mujer como botín de guerra. Masinisa, atrapado entre una doble lealtad, optó por apartar los sentimientos y seguir gozando del favor romano. Envió pues a la infortunada Sofonisbe una copa de veneno, supongo que, al menos, con sus mejores deseos para la otra vida, y así acabó la existencia de la joven cartaginesa.

Con las manos libres de la opresión púnica, sin preocupaciones inmediatas por otros aspirantes al trono de Numidia y contando con el apoyo romano, Masinisa se dedicó a organizar su reino. Provocó la sedentarización de su pueblo, trocándolo de pastor nómada en agricultor. Agrupó a sus súbditos en ciudades al estilo púnico. Introdujo nuevos cultos, importados del mundo helenístico. Y, para que nada quedara fuera de su control, estableció el rango de divinidad para la realeza, o, lo que es igual, para sí mismo.

Pero en la propia ambición de Masinisa –como si de una mediocre película donde el malo siempre pierde se tratara– se engendraba la semilla de su poco glorioso final. Los romanos, temerosos del poder que estaba alcanzando el númida, decidieron poner coto a la expansión de su reino colocándole una eficaz barrera en forma de colonia con base en Cartago. Y, por si eso fuera poco, murió sin haber podido imponer a su hijo como sucesor, con lo que su estirpe se perdió para siempre.

Ni siquiera de la capital de su reino, Cirta, quedan vestigios apreciables. Y del templo que en su honor se levantó en Dougga no persiste ni el recuerdo de su situación(*).

La alianza del caudillo númida con Roma, y el hecho de que éste escogiera a Dougga como una de sus residencias preferidas, retrasó la romanización de la ciudad y la apertura de una nueva página en su historia, pero cuando finalmente se produjo, en un tiempo relativamente breve, se convirtió en una de las más bellas ciudades de las colonias africanas.

La inmensa mayoría de los vestigios que actualmente pueden contemplarse pertenecen, precisamente, a su periodo de civitas. Pero no debe pensarse por ello que encontraremos nuevamente la planimetría ciudadana romana al uso más o menos adaptada a las necesidades coloniales. El mayor encanto de Dougga, aparte de su situación privilegiada, es que resulta diferente al resto de las ciudades romanas. Sus calles quebradas, en permanente pendiente, suavemente onduladas, sugieren, más que las propias ruinas, la acumulación secular de diferentes culturas y concepciones urbanas en un mismo solar. Es más, se diría que el alma de la ciudad –si es que podemos admitir que las ciudades tienen alma– presentía la llegada de los árabes y se adelantó a las formas voluptuosas con que los hombres surgidos del remoto Oriente iban a dotar a sus propias realizaciones ciudadanas. Me gusta pensar incluso que ésa es la razón que, al contrario de lo ocurrido con el resto de las civitates africanas, ha permitido que Dougga siguiera habitada sin apenas modificaciones estructurales hasta época muy reciente. El árabe conquistador vio en aquellos tortuosos viales su propio concepto urbano traducido en imperecedera piedra, por lo que no tuvo necesidad de transformarlo.

De cualquier modo los romanos, finalmente dueños de la ciudad, no hicieron tampoco tabla rasa de lo que heredaron, y si bien es cierto que elevaron sobre la colina todos los edificios tradicionales, lo hicieron respetando el intrincado laberinto callejero preexistente.

En las laderas escarpadas de la colina pueden observarse todas esas edificaciones convencionales, pero cada una de ellas tiene algo diferente a lo ordenado por la alta ley de la costumbre romana. Como un escurridizo pez abisal, Dougga se resiste a la clasificación, al encasillamiento, a su inclusión en un vano catálogo de similitudes. Sabe desconcertar a cada paso, sorprender al visitante como sólo lo realmente original puede hacer.

El mismo teatro, saludando la llegada del viajero, situado en una de las partes más elevadas de la ciudad, orienta sus 19 gradas hacia el llano, allí donde la vista es más hermosa. Tras el escenario existía un corredor columnado por donde el público asistente a las representaciones podía pasear y disfrutar del panorama durante los descansos. Una dedicatoria colocada sobre el arquitrabe recuerda a aquel Marcus Quadrutus que donó a la ciudad el teatro en reconocimiento por la obtención de un cargo sacerdotal, siguiendo así la tradición romana de que fueran sus propios habitantes quienes apoyaran con su peculio particular al embellecimiento de las ciudades.

(*) El mausoleo libio-púnico existente puede que fuera erigido en memoria de un jefe númida, de nombre Atebán, pero no para Masinisa como a veces se ha dicho.

94. Mi asno blanco frente al Templo de Caelestis.

◄ 92. Grandes Termas y conjunto de las ruinas vistos desde la ladera.
93. Palestra de las Grandes Termas.

También el Capitolio, a despecho del poco espacio disponible, hacía que sus templos dedicados a la habitual triada de dioses: Minerva, Juno y Júpiter, bendijesen con la mirada los extensos campos de cultivo de la planicie. Precisamente, las modestas dimensiones del Foro, obligadas por la extraña posición del Capitolio, hicieron necesaria la construcción de una plaza lateral, cuya decoración, aún visible, consiste en una gran rosa de los vientos grabada en el pavimento. Los nombres de los doce vientos principales son difícilmente reconocibles, pero si se observa con atención, aún puede distinguirse en el lado sur el Africanus, el cálido y ocasionalmente destructivo viento del desierto que, actualmente, conocemos como Siroco.

Para los romanos como para muchos pueblos anteriores y posteriores a ellos la división del círculo en doce sectores, en este caso vientos, estaba en relación con sus convicciones astrológicas; y del mismo modo que los doce signos zodiacales encerraban predicciones vitales e influenciaban a los seres humanos, los vientos, los doce vientos representados en la plaza de Dougga eran augures, con su soplido variable, del acontecer cotidiano y avisadores de lo que estaba por venir.

Pero de todas las rarezas de Dougga quizás la mayor –y también la más hermosa– sea el Templo de Caelestis. Se encuentra extrañamente apartado del núcleo ciudadano y su forma semicircular no guarda similitud con ningún otro. En el santuario, rodeado de gráciles columnas y protegido por olivos centenarios, se celebraban las procesiones y demás ritos iniciáticos de Juno Caelestis, versión romana de la púnica Tanit o de la cartaginesa Astarté, cuyo simbolismo lunar y culto mistérico han recorrido el Mediterráneo entero, al igual que la leyenda de aquellos siete durmientes situados en la otra ladera del Goraa o las más que notables referencias a una diosa primigenia y ancestral a la que se han ido superponiendo cultos sucesivos. Su transformación última, en el periodo bizantino, en iglesia cristiana, no hace más que remachar ese humano empeño de ocultar las liturgias pasadas, confundiéndolas con las más recientes. Pero al lugar, por mucho que se intente, no es posible quitarle un aura de hechizante sosiego. Placidez infinita. Silencio sólo turbado por el caminar pausado de ese asno blanco de mi recuerdo que acompañó mi visita última a Dougga.

El templo de Caelestis, alejado de la majestuosa potencia del mausoleo libio-púnico del final de la ladera, imbuido eternamente de femenina delicadeza, tiene algo en su sencillez, o puede que en su apartamiento de los canones clásicos, que seduce de modo irrevocable e incomprensible a quien lo visita, si lo hace en soledad. Es la percepción intuitiva, susurrada permanentemente por el roce continuo de las hojas alargadas de los olivos, de penetrar un misterio que, precisamente por serlo, escapa a nuestro conocimiento racional, pero no por ello deja de hacerse presente, animado, real.

Y recuerdo que aquél asno blanco y yo, dándonos cuenta de que participábamos en un sentimiento que escapaba del tiempo y del espacio, no queriendo obtener conclusiones ni plantearnos enigmas, nos miramos y entendimos.

Después del templo de Caelestis, casi no quedan ganas de ver nada más. Sólo desaparecer y meditar. Pero queda la ciudad entera. Todas las casas que se vuelcan en pétrea cascada por la ladera de la colina, resolviéndose en atormentadas callejas, en grises recuerdos de la vida que allí habitó.

Aunque desnuda de sus mosaicos (hoy en el Museo del Bardo de Túnez), la mejor conservada es la denominada casa de Dionisios y Ulises, cuyo plano, dividido en dos plantas, es bastante notable todavía. La más sugerente sin embargo es la casa del Trifolium, cuyo nombre proviene de la forma de trébol que tiene su estancia principal. La presencia de múltiples habitaciones dispuestas alrededor del patio porticado parece indicar que se trataba del prostíbulo de la ciudad; el petrificado falo que se encuentra en las cercanías lo confirma.

Pero el auténtico placer de la visita a Dougga consiste en pasear sin rumbo, sin prisas y ¡sin problemas previos de corazón! por el tobogán permanente de sus calles empedradas. El ambiente que se respira en el risco hace que puedan pasarse horas y horas vagando por este paraje. Cada uno de sus monumentos, todas sus piedras, la visión continua del valle definen la vida que contuvo y que aún parece agitarse en los umbrosos recodos. Contemplando el conjunto con los ojos iluminados de la imaginación, reconstruyendo la agitación, el murmullo de sus habitantes, los ruidos que llegan desde el mercado, el olor a fruta, a carne, a hortalizas, mezclándose con el grito del vendedor que clama por la bondad de su mercancía, las discusiones en el Foro o entre los vientos de la plaza lateral, los jóvenes compitiendo en la palestra de las termas, con el valle a sus pies, alguien que se dirige subrepticiamente a ese lupanar que hemos dejado atrás, una reunión de notables en las letrinas en forma de "U"–¿desde qué intimidad fisiológica discuten de política?, ¿qué parte de su anatomía reivindica qué teoría?–, y los fieles que van y vienen de los oficios religiosos, y los que ascienden al teatro grande o permanecen en aquel otro, minúsculo como una sala de cine de aquellas que llamábamos de "arte y ensayo", apenas visible en el núcleo ciudadano, todo queda presente y animado, al menos para mi asno blanco y yo mismo.

Y las imágenes de Masinisa y de Sofonisbe y de Marcus Quadratus o los hermanos Marcia, benefactores como aquél de la ciudad, se convierten en formas reales, fantasmas de aire sólido correteando por los empedrados.

Y en aquella mi última visita a la ciudad recuerdo que el asno blanco me miró con cara triste y yo no pude por menos que corresponderle. Y entonces percibí que Dougga no estaba vacía, que yo confundía mis fantasmas con seres reales que aún habitan las ruinas. ¿Dije que la ciudad fue deshabitada recientemente? Mentía. Algunos de sus modernos habitantes negaron la posibilidad de trasladarse desde su hogar ancestral, presos seguramente del mismo hechizo que adormece al visitante. Como huyendo de una onda expansiva que parte del centro de la ciudad, han tenido que ir trasladándose hacia sus bordes, empujados por arqueólogos y vigilantes. Pero algunos de ellos viven todavía con sus ruinas. Y le sorprenderán, como me sorprendieron a mí en cualquier recodo de su solitaria visita. Pero no tema. No son ni peligrosos ni pertinaces. Y, aunque conocen el alto valor del dirham del turista, no le presionarán más que lo preciso para recordarle que se encuentra en un país árabe, y que aquí aún permanece vigente la doctrina del Profeta respecto a la obligación del creyente de socorrer al necesitado.

Bereberes prehistóricos surgidos del infierno de arena cercano, púnicos, númidas, romanos, cristianos y árabes le harán saber, cuando visite Dougga, por qué le decía que esta ciudad es como una síntesis del devenir mediterráneo. Cuando haya apurado todas las páginas del libro de piedra que le mostrará la vieja Thuga no será necesario que ningún petulante quiera mostrarle algo de lo que allí ocurrió. Usted, si es constante y está dispuesto a recibir el mensaje, lo aprehenderá de forma inmediata.

Aunque ningún asno blanco le acompañe.

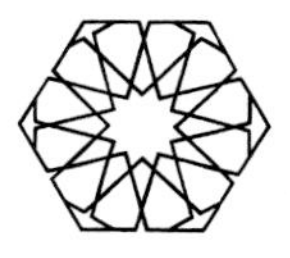

ALEJANDRÍA

n día extremadamente lejano para mi memoria de humano cayó en mis manos un libro cuyo autor –E. M. Forster– se revelaba ante mis ojos como un enamorado impenitente de una ciudad: Alejandría. Devoré aquellas trescientas páginas como si me fuera la vida en ello.

Y no era para menos.

Desde siempre, sólo pronunciar el nombre de la gran urbe costera egipcia, despertaba en mí imágenes tan emotivas y al mismo tiempo tan legendarias, que el tratamiento profundo y sentido que Forster daba a su libro fue como un revulsivo que movía cada rincón de mis capacidades sentimentales. Yo había estado ya dos veces en Alejandría, y no sé muy bien si por lo que allí vi o, precisamente, por lo que no pude ver sino sólo presentir, las pasadas expectativas cobraron vida; diferente a la que suponía, pero vida al fin y al cabo.

Durrell, en el prólogo de aquel libro, fijaba lo que yo no había sido capaz de retratar en palabras a la vuelta de mi estancia en Alejandría; decía: «Desembarcar en ella es como dar un salto en el vacío porque en seguida percibes, no sólo la ciudad plañideramente griega que se alza ante ti, sino también su telón de desiertos que se extienden hacia el interior de África. Es un lugar para separaciones dramáticas, decisiones irrevocables, últimos pensamientos.» Y así, exactamente en esos términos, la había sentido yo siempre, aunque sin poderlo expresar correctamente.

Nacida al borde del desierto líbico, construida junto a la explosión de verdor del delta del padre Nilo y, sin embargo, permanentemente de espaldas al fellah (campesino) y al mundo agrícola que allí se desarrolla, Alejandría obtiene su carta de presentación ante el viajero abriéndose a un mar infinito, de alas azules y blancas, ensoñador, que lame con sus crestas de espuma un litoral extraño, cerrado o abierto en descomunal abrazo, acercándole los duros vientos norteños de la lejana Macedonia donde la soñó un loco o un genio u otro hombre enamorado de ese mar, de ese infinito prado azul.

De alguna manera Alejandría es el resultado de los sueños de muchos hombres. Cada uno de los seres humanos que alguna vez, en algún momento de la historia, se acercó a la Corniche, la larga franja costera que caracteriza a la ciudad, aportó una parte de sus propias sensaciones interiores para ir creando esta ciudad. Incluso el viajero actual no puede pasar por Alejandría sin dejar algo de sí mismo en ella. Es un tributo voluntario del que nadie puede evadirse. Un sueño... ¡Un sueño! Pero mil veces soñado. Pero presentido. Pero lejano como todos los sueños, apartado de lo que la realidad está dispuesta a entregar a la simple y despreciable y poco juiciosa razón.

95. Muchachas cargando vasijas.

Y ese sueño es el que le propongo que ahora, a través de unas pocas páginas, más apoyado en su propia imaginación que en mi capacidad para hacérselo revivir, soñemos juntos.

De momento déjese ir hacia atrás en el tiempo. Imagínese dos milenios y medio perdido en el fondo de la historia; cuando Alejandría no existía; cuando sólo una pequeña localidad costera, sin importancia, sin pasado, sin porvenir visible, Rhakotis, mantenía con vida –miserable vida– a un grupo de pescadores que poco conocían y nada se habían beneficiado de la brillante carrera multisecular del país del Nilo. Egipto ya no vivía sus mejores días. La dilatada cultura de los faraones tocaba sus más bajos momentos. La fuerza con que razonaban las armas persas superaba con mucho los argumentos pacíficos de la miríada de dioses nilóticos.

Entonces llegó Alejandro. Victorioso. Imbuido de un aura irresistible de vencedor sobre todo lo humano y lo divino, ungido de una gloria imparable.

Desde la fría y lejana Macedonia, Alejandro había atravesado, arrasando cuanto impedía su avance, Asia Menor, Oriente Medio, y llegaba a Egipto. Y, los egipcios, hartos ya del yugo persa, lo aclamaron más como a un libertador que como a un nuevo conquistador. Alejandro necesitaba una capital desde la que dirigir todo el gran imperio mediterráneo que dibujaba en su mente. Soñaba –¡el primer sueño!– regresar a Macedonia cerrando el anillo; sometiendo la Cirenaica, la Tripolitania, el Magreb, Hispania y todo el sur europeo. Un solo imperio para una única Civilización. Y Egipto le entregaba generosamente el solar donde fundar esa capital. Entre la lujuria verde del Nilo, la muerte ocre del desierto y el azul salobre del mar.

No resulta extraño que el lugar donde se asienta Alejandría subyugara al macedonio. Más bien parece como si estuviera hecho a la medida de sus deseos. Dos hermosas bahías: una cerrada y recoleta, perfecta para ser puerto, y otra amplia y rectilínea, veinticinco kilómetros de apertura al Mediterráneo, cantarían al mundo la vocación de la ciudad. La cercanía de canteras de moldeable piedra caliza entregarían la materia prima cercana para la construcción de las edificaciones, al tiempo que los cerros que la contenían formarían una adecuada muralla exterior. El Nilo, auténtica vía de comunicación con las regiones sureñas de Egipto, y, a través del fósil de canal que comunicaba el Mediterráneo con el Golfo de Suez, el mar Rojo, el inmenso Índico y el resto del Imperio Oriental, estaba servido por la boca Canópica y el lago Mariut.

Lo demás era agua abundante, brisas continuas y saludables, una población indígena acostumbrada al sufrimiento y al trabajo duro, clima mediterráneo, de suaves inviernos y veranos razonables...

¿Qué más podía pedir Alejandro? Un sueño, un auténtico sueño era lo que se le ofrecía. Nada como aquella Rhakotis, como aquella ensenada de dimensiones excelsas, como la pequeña isla de Faros que dominaba el emplazamiento a Poniente. Sabía de otros lugares, de otros puertos que podían aspirar a capital imperial: Siracusa, Atenas, Bizancio, Tiro... pero no eran su creación, existían antes que él naciese. Y otras, fundadas al paso irresistible de sus ejércitos, como la turca Alejandreta, no reunían las condiciones idóneas. Sólo Alejandría. Sólo Alejandría.

Y Alejandro cumplió su sueño: fundó su capital.

Entre visitas al lejano oráculo del Oasis de Siwa y su entronización solemne como faraón en Menfis, tuvo tiempo para definir los parámetros básicos de la nueva ciudad, ordenar espacios, transmitir a sus arquitectos y urbanistas las ideas que bullían en su mente, allanar en su imaginación cerros y levantar edificios monumentales. Todo lo mejor del ámbito mediterráneo debía estar allí. La más cómoda, la más brillante, la más próspera de las ciudades del mundo. Ejemplo para los siglos futuros. Arte, ciencia, religión y política encontrarían acomodo entre los moradores que la inundarían con su presencia de todas las razas, creencias y lenguas que poblaban el mundo. Espacio único desde el que irradiar la nueva cultura helenística. Alejandría como centro, y, en el centro del centro, el mismo Alejandro.

Pero aunque todo se cumplió como lo había previsto, la tragedia final de aquel sueño fue que Alejandro nunca llegó a verlo realizado. Ni un solo edificio quedó concluido durante su vida. El joven conquistador, tras disponer todo lo necesario para que su capital se convirtiera en una realidad, marchó a cumplir su destino allende la Media Luna Fértil, más allá del país entre ríos, la Mesopotamia, detrás de los Zagros, los montes que separaban el mundo cotidiano de la antigüedad con el remoto Oriente desconocido. Y sólo regresó a Alejandría la pompa de su funeral y su disputado cadáver.

Por amarga ironía del paso del tiempo, la memoria de Alejandro queda exclusivamente viva en la ciudad en el trazado de sus calles, en el nombre que ha perdurado a través de los siglos y en el recuerdo de aquel sueño, porque ni siquiera se tiene conocimiento exacto del lugar en que se erigió el túmulo donde reposaban sus restos, por más que se ha conjeturado hasta la saciedad en ello.

A la muerte del macedonio, su imperio fue despedazado por sus generales. Cuando, en medio de la agonía, le preguntaron quién debía heredar el vasto territorio conquistado, Alejandro, en un murmullo apenas audible, dijo: "el más capaz", con lo que abrió la puerta por la que entró a raudales la violencia durante los años inmediatamente posteriores a su muerte. Finalmente, se impuso un reparto dictado por la fuerza de cada uno de esos generales y por la falta de escrúpulos que fue capaz de demostrar para conseguir su parte, en uno de los más odiosos pasajes de la historia.

Egipto recayó en el más eficiente de todos ellos, Ptolomeo, quien se apresuró a convertirlo en un reino independiente, con su capital en Alejandría, de la que ya era gobernador en vida de Alejandro.

Durante los primeros cien años desde su fundación, bajo el mandato enérgico de los tres primeros monarcas de la dinastía ptolemaica, Alejandría se embelleció y fue adaptándose cada vez más a su vocación mediterránea. En la isla de Faros, actualmente una pequeña península donde se levanta el macizo fuerte Kait Bey, se construyó un faro de 120 metros de altura. Una inmensa fogata, permanentemente encendida durante la noche, guiaba a las numerosas flotas mercantes que se aventuraban por la complicada costa de terrenos de aluvión, plagada de arrecifes, que precedía a la entrada del puerto de la ciudad.

En buena medida, la luminaria del Faro fue parte sustancial del origen de la prosperidad económica de la ciudad. En un tiempo en que la navegación mediterránea estaba saturada de peligros, tanto en mar abierto como –y especialmente– en la cercanía de las costas, cuando a los frágiles navíos mercantes se les ofrecía una brizna de seguridad en la recalada, aquellos marineros la aceptaban ansiosos. Si a ello, como ocurría en Alejandría, se unía la existencia de unas excelentes instalaciones portuarias y un mercado terrestre bien surtido, el éxito estaba garantizado.

96. Vista general de la Corniche al atardecer.

Pero los ptolomeos hicieron algo más que asegurarse el comercio para el rincón que habían escogido como residencia. Cuesta creer que de aquellos rudos hombres de la guerra surgiera un amor por la cultura como el que se desprende de sus realizaciones en ese ámbito. Su prosperidad económica fue pareja con un auge y concentración cultural sin precedentes en la cuenca mediterránea. El palacio ptolemaico era toda una ciudad dentro de la ciudad, agrupando la residencia real, la sede del gobierno y, sobre todo, el Museion, uno de los mayores centros de estudios de toda la historia de la humanidad.

El complejo del Museion, del cual, como del resto de los edificios palaciegos, no queda más que su memoria, constituyó el núcleo intelectual de referencia durante la antigüedad. El modo en que se estructuraba era similar al de la moderna Universidad de Princeton: se contrataban científicos, eruditos y artistas de todas partes del mundo conocido, cuya única obligación era continuar en el Museion sus estudios para gloria y prestigio de la ciudad y, por añadidura, de los ptolomeos.

En sí misma, la idea del Museion no era original, puesto que se importó, como gran parte de las realizaciones alejandrinas de la época, de la tradición helena. Pero en Alejandría obtuvo un renombre sin precedentes en el arco mediterráneo. Su prestigio fue tal en la antigüedad que prácticamente constituye el foco intelectual más preclaro para nosotros de esa época. En él no sólo se compiló la herencia literaria y científica griega, sino que se explicó y se amplió hasta límites que hoy nos resultan inconcebibles todo el legado cultural y científico anterior.

Otro aspecto al que el sueño alejandrino de los ptolomeos condujo fue a la revisión del panteón griego. Una ciudad nueva, con vocación universalista, necesitaba nuevos dioses que la alejasen del localismo de los que le llegaban del pasado. Si el nuevo reino pretendía abarcar todas las culturas mediterráneas, no era posible que la religión, la primera manifestación espiritual del hombre, se circunscribiese a los dogmas directamente heredados de griegos, egipcios, persas o cualquier otro pueblo. Se hacía necesaria la síntesis. Era urgente la fusión de las liturgias, de las creencias, de los propios mitos, para darles ese carácter que debían tener todas las realizaciones de la ciudad. Y los ptolomeos crearon, por tanto, un culto común y diferenciado del resto.

El nuevo dios obtuvo su nombre de la tradición egipcia: Serapis (mezcla de Osiris y Apis), aunque su apariencia y atributos eran típicamente griegos. Poco a poco fue imponiéndose en el escalafón de las deidades hasta convertirse en ser supremo bajo la fórmula consagrada de «el único Zeus Serapis», extendiéndose por todo el ámbito mediterráneo y siendo considerado como protector de los navegantes, confirmando así la vocación de su nacimiento, permaneciendo vigente su culto hasta la imparable llegada del cristianismo.

Se ha achacado frecuentemente la destrucción del sueño alejandrino de los ptolomeos a manos de los romanos a un factor genético. La costumbre, heredada por otra parte de los antiguos faraones del Egipto clásico, de contraer matrimonio los monarcas con miembros de su propia familia, especialmente hermanos con hermanas, fue, según parece, la razón primordial de que a los tres primeros miembros de la dinastía siguieran reyes menos capaces, más blandos e indolentes. Y puede que fuera así. Pero también es posible que la notable prosperidad de que disfrutaba la ciudad, la ausencia de enemigos lo suficientemente poderosos como para inquietar seriamente los dominios de Alejandría hiciese que aquellos sucesores de los enérgicos primeros ptolomeos se sintiesen más inclinados hacia el arte y la ciencia que hacia los asuntos de la guerra. Y ése es un lujo que, desafortunadamente, no pueden concederse los gobernantes. Ni entonces, ni ahora.

Sea como fuere, lo cierto es que la conquista de la ciudad y de todos los terrenos controlados por ella por la nueva potencia dominadora del Mediterráneo, Roma, no supuso grandes cambios para ella. El amor de Julio César por Cleopatra, de Marco Antonio por Cleopatra, era el simple reflejo de la dependencia de la metrópoli por el granero que controlaba Alejandría. Y si la pérdida de independencia puso término a sus veleidades conquistadoras, su energía siguió tan pujante o más que antaño en el mundo científico y cultural.

La figura de Cleopatra, la más egregia alejandrina, generalmente, se tiñe de aspectos negativos. Se presenta ante la historia como una cortesana capaz de todo por mantener su poder frente a los bobos romanos hechizados por su belle-

97. Puente y faro de la Isla del Té. ►
98. Playa, balneario y hoteles en la Corniche.

99. Pabellón de la Isla del Té. ►►

za, ebrios de vigor y de bajos instintos. Yo prefiero imaginarla como una pobre mujer atrapada entre dos mundos: uno que se venía abajo, el de los ptolomeos, y otro pujante y en la cúspide de su soberbia dominadora: el romano. Cuando llegó al trono contaba apenas diecisiete años, mientras que su hermano y esposo sólo tenía diez. Con tan escaso bagaje de experiencia vital se enfrentó a una Civilización, la mediterránea, en crisis debido a las disputas entre Pompeyo y César, primero, y posteriormente entre Marco Antonio y el frío Octavio. Y actuó con las armas que le había otorgado la Naturaleza: una inteligencia viva y sin referencias, un cuerpo hermoso de mujer. La exacta dosificación de ambas facultades mantuvo durante más de dos décadas la vigencia de su sueño. Y sólo la pérdida de una de ellas, por el mero efecto del paso del tiempo, propició su declive ante el juicioso –y vaya el adjetivo de juicioso con todos los aspectos negativos que puedan dársele– Octavio. Y su muerte también.

Pero el fin de los ptolomeos no supuso el declive de la ciudad. En algunos aspectos puede decirse incluso que prosperó, puesto que su falta de influencia en el exterior produjo un repliegue sobre sí misma, sobre su genio intelectual y comercial. Sólo una revolución radical en el mundo de las ideas podía acabar con el sueño alejandrino. Y esa revolución no podía esperarse de los romanos, sino de aquella nueva secta que comenzaba a gangrenar los cimientos del Imperio. Sus seguidores se hacían llamar cristianos, y su auge coincidió con el de la ciudad que sustituyó a Roma en la dirección de los destinos mediterráneos: Bizancio.

Es verdad que Decio y sobre todo Diocleciano fueron especialmente duros con los seguidores de la nueva fe, y que la virulencia de sus persecuciones se dejó sentir de modo muy especial en Alejandría, sembrando las rectas avenidas diseñadas por Alejandro de mártires más o menos apócrifos que incorporar al santoral. Pero la intolerante reacción cristiana, una vez asentada firmemente la cruz en el Bósforo, acabó casi completamente con las señas de identidad de Alejandría.

La destrucción del templo de Serapis, de la Biblioteca y de gran parte del patrimonio monumental de la ciudad marcaron el final de aquel sueño. Hipatía, otra mujer, apenas una oscura profesora de matemáticas y filosofía del Museion, se convirtió con su martirio pagano, a manos de los monjes del patriarca Teófilo, en el símbolo del momentáneo ocaso de la ciudad.

Y luego llegaron los árabes. Y su odio hacia el medio marino les llevó a hacer languidecer a la ciudad relegándola a la categoría de simple localidad provinciana apartada del centro de las decisiones, mientras erigían su nueva capital egipcia en El Cairo. Y, como ocurre siempre –para extrañeza de quienes pensamos que economía y cultura son conceptos divergentes– el ocaso material de la ciudad fue seguido del fin de su liderazgo intelectual, del cual nunca se recuperaría.

Alejandría durmió en la indolencia y el relativo olvido de su glorioso pasado durante todo un milenio. La falta de mantenimiento llevó a que se cegara la boca Canópica, antaño canal de comunicación del Nilo con el mar. El lago Mariut dejó de ser navegable, pasó a ser apenas un charco de agua, erizado de cañaverales. Y aunque los cerros cercanos seguían mostrando las dentelladas dejadas por los seres humanos en su afán constructivo, las tierras y las aguas cambiaron radicalmente de posición, adoptando un nuevo aspecto, diferentes características ambientales, una pobre apariencia que en nada recordaba el talante próspero, universalista y cosmopolita del pasado.

Pero los sueños que provocaba en los hombres Alejandría no habían acabado para siempre. En realidad, los sueños de Alejandría no acaban nunca: siguen renovándose día a día con cada nuevo visitante que extiende la mirada desde la Corniche, al atardecer. Esta vez fue Napoleón quien se enamoró de la ciudad. Y Alejandría, como había hecho con Alejandro, con César, con Marco Antonio, lo recibió con toda su capacidad de seducción renovada por el largo periodo de inconsciencia.

¿Qué quedaba de aquella luminaria del pasado cuando desembarcó el Corso en la rada alejandrina? Apenas diez mil habitantes saludaron la presencia de sus trescientos navíos de guerra. La ciudad era una sombra de su pasado. Sus calles, plazas y vestigios monumentales aparecían ante sus ojos, ávidos de cultura oriental, descuidados, cuando no perdidos para siempre.

En el enfrentamiento entre dos hombres, entre Napoleón y Nelson, al parecer el sino de la ciudad, Alejandría volvió a vivir el vértigo del protagonismo mediterráneo, aunque, esta vez, huérfano de los aspectos culturales de otros tiempos. Y siguiendo ese oscuro designio que parecía perseguirla el primero en rendir tributo a la ciudad, fue el derrotado. Napoleón vio desvanecerse su sueño entre olor a pólvora británica y acero turco.

Porque tal parece el destino final de Alejandría: ver cómo todos los sueños que inspira en los seres humanos conducen invariablemente al fracaso.

Pero aún no habían acabado. Aún restaba un último sueño que soñarse. Aún quedaba energía suficiente en la ciudad para inducir un nuevo espacio onírico. Y esta vez iba a ser definitivo.

Junto con las tropas turcas que venció Napoleón en Abukir, se encontraba un soldado iletrado, sin apenas más educación que la del espanto que entrega la guerra, de nombre Mehmet Alí. Este hombre era originario de ¡pásmese! Kabala, una ciudad enclavada en la costa de la moderna Macedonia griega. Solamente su origen ya le predestinaba para cerrar los sueños alejandrinos: un macedonio comenzó el largo relato de la ciudad dos mil años antes, y un macedonio debía cerrarlo, entregarle su resplandor postrero.

Mehmet Alí regresó a Alejandría combatiendo a las órdenes del británico Abercrombie. Y esta vez lo hizo para quedarse. Suplió su falta de formación con una más que notable habilidad para trepar en la escala social alejandrina, como recaudador de impuestos, primero, acabando siendo nombrado virrey turco de Egipto.

Pero este cargo no era suficiente para las ambiciones de Alí. Como un Ptolomeo redivivo, se independizó de la Gran Puerta, creó un reino independiente, y extendió sus dominios por todo Egipto, Cirenaica y Oriente Medio; prácticamente igual que sus antecesores, los herederos de Alejandro.

El centro de su mundo, la capital del nuevo imperio que se enquistaba en medio de un Mediterráneo bullicioso fue Alejandría. Y aunque su sueño duró menos que una siesta robada a una tarde de verano, la vergonzosa transigencia que demostró ante los británicos y su loca pasión por todo lo que oliera a europeo, a despecho de los intereses del país que debía defender, le llevaron a mantener una inestable y odiosa dinastía para su pueblo que alcanzó hasta la revuelta de los coroneles, con la que Nasser inauguraba el Egipto moderno, definitivamente de espaldas a la ciudad costera.

SPORT السكرية SPORT
SPORT

102. El trabajo en el delta es fundamentalmente agrícola.

◄ 100. Palacio de Faruk.
101. Mezquita en la Midan Orabi.

Como una inmensa pescadilla mordiéndose la cola del tiempo, se cierra la historia de Alejandría. Desde entonces es y, salvo que un nuevo sueño le otorgue una gloria que hoy parece imposible, será para el porvenir la segunda ciudad de Egipto. Siempre a la sombra intelectual y política de El Cairo, la ciudad que supo ganarle la partida, encendiendo la ilusión árabe que ella no podía generar.

Queda sólo la ilusión de soñarla nuevamente. Algo que el viajero actual, ansioso de descubrimientos, está permanentemente decidido a hacer.

Pero permítame una advertencia previa: Alejandría, la Alejandría que actualmente puede visitarse, le producirá de entrada una descorazonadora imagen. Porque cuando usted llegue a la ciudad, desembarcando sus ilusiones en el inmenso puerto, o a través de agotadora marcha por la carretera agrícola que cruza el Delta desde El Cairo, o vía la «autopista» del desierto, con la imagen de un Egipto insólito, y se pregunte qué queda de la gran urbe soñada por tantos soñadores, dónde se levantan el Museion, los palacios de los ptolomeos o la maravilla del Faro, encontrará que todo, todo ha desaparecido, que no hay ningún resto visible de esa gloriosa grandeza, que, en muchos aspectos, se trata de una ciudad fría, inanimada, exenta incluso de la gracia retorcida de otras ciudades árabes.

Pero esa apreciación, créame, será tan errónea como considerar que el desierto, cualquier desierto, es una extensión ilimitada de arena muerta. Porque, como en el desierto, la vida surge en Alejandría a cada paso. Sólo es necesario buscarla. Sólo es preciso adaptarse a su cadencia, bucear en sus recuerdos, leer entre líneas, deglutir pausadamente los impulsos emocionales que se agazapan en cada esquina de la ciudad.

Precisamente por no ser fácil resulta más reconfortante la visita a Alejandría. Es verdad, como ya he comentado, que del diseño de Alejandro no queda más que el trazado de algunas calles, pero, ¿no es eso ya un mérito innegable después de dos milenios? La acumulación de edificaciones que el tiempo se ha encargado de ir creando primero y deteriorando luego se aprieta incontinente en todo el recinto urbano, respetando aún un esbozo que debería ser anacrónico. Y, además, aquí y allá surgen, como manantiales de aguas fósiles, vestigios puntuales que van desgranando la historia de la ciudad: el minúsculo teatro romano y las vecinas termas, sepultadas bajo una ingente acumulación de tumbas de origen árabe; una monumental columna atribuida sin fundamento a Pompeyo, cuando fue Diocleciano quien la levantó en memoria de su triunfo sobre Aquileo; las catacumbas de Kom esh-Shuqafa, un atemorizador hipogeo de tres plantas utilizado por los cristianos perseguidos, pero cuyo asentamiento parece que fue ocupado anteriormente para ritos funerarios más antiguos; y, más recientes, los palacios de Ras et-Tin y el Muntazah y el fuerte de Kait Bey, junto a los minaretes de las mezquitas que se asoman a la Corniche, son algunos ejemplos.

Aunque, si de verdad desea imbuirse de la esencia última de Alejandría, yo le recomendaría un largo, larguísimo, paseo. Le situaría en el extremo occidental de la Corniche, allí donde estaba el Faro y hoy queda ocupado por el Kait Bey y el Museo Marítimo. La fortaleza le recordará a tantas otras vistas en Europa, pero la imagen que desde sus almenas ofrece el Puerto Este es definitivamente evocadora. Barcas de todas las esloras y colores mantienen la ficción de una ciudad volcada al mar.

Siguiendo el paseo marítimo –Shari 26 Yolyo– irá descubriendo numerosas mezquitas de minaretes insultantemente esbeltos hasta que llegue a la plaza denominada Midan Saad Zaghlul. Los edificios coloniales que pueblan toda la zona, recuerdos de un pasado de molicie festiva para un grupo de europeos privilegiados que veían desde su opulencia la miseria del pueblo egipcio, encuentran su más nostálgica y clara representación en el Hotel Cecil. Durrell y Forster y Moix y casi cualquier viajero que ha llegado a Alejandría con ánimo de permanencia lo han habitado. Su desleído interior guarda aún memoria de un pasado que se niega a morir voluntariamente. Las habitaciones, en tiempos suntuosas pero ahora taciturnas, conservan entre sus robustos muros la cadencia decorativa de su pasado esplendor.

Hospédese allí, pero solicite vistas al mar: conocerá un atardecer como nunca antes haya visto, y los últimos fulgores del sol le entregarán un inexplicable sentimiento de nostalgia infinita, la primera comprensión de Alejandría, con la Punta Silsila débilmente iluminada, al fondo.

Más adelante, sin dejar nunca el tramo costero, conocerá distritos de nombres tan variopintos como Campo de César, Cleopatra, Stanley, Santo Stefano o Miami, alternando siempre enormes hoteles con edificios en el nivel mínimo de subsistencia y arcaicos balnearios, aún ocupados por cairotas de veraneo.

Durante todo el trayecto esa acumulación de edificios infectos o brillantes, de coches renqueantes o cansinos carruajes atestados de turistas haciendo «clic» con sus sofisticadas cámaras fotográficas, la permanente presencia del Mediterráneo, esos pescadores que lanzan sus cañas aburridas desde un inútil malecón, las arenas doradas que salpican todo el litoral, aún crearán en usted la imagen perdida de la ciudad cantada por tantos poetas, soñada por tantos soñadores, desde más de dos milenios atrás. Y notará cómo, abandonando momentáneamente la vía cercana al mar, el hechizo se acaba, regresándole a la realidad sórdida y mísera de tantas ciudades árabes, a la evidencia de un mundo de sonoros y evocadores nombres pero de desdicha infinita. Alejandría, a lo largo de toda su historia, ha sido más mediterránea que egipcia, pero cuando se deja la Corniche y se accede al submundo de general abandono oculto, de espaldas al mar, en las callejas de los barrios periféricos, se comprueba con reticente congoja cómo las gentes que las habitan han dejado ya de ser alejandrinas.

Al final del trayecto que le propongo encontrará el Muntazah. Y si la soberbia magnificencia de lo que allí verá, de los parques y palacios que contiene, residencia última de Faruk antes de ser expulsado del país por los coroneles de Nasser, no hace más que avivar en usted la imagen infortunada de la ciudad interior; si las altas palmeras, los minaretes puntiagudos, las finas arenas y el resto de monumentos y plazas de la Corniche no consiguen apagar su irreprimible desazón ante el abismo incomparable que existe entre la ciudad en la historia y lo que hoy puede ver, consuélese al menos pensando que esos edificios leprosos, desprovistos de mantenimiento, los hoteles como el Cecil, las aguas renovadas que siguen bañando día a día, incansablemente, el litoral abierto, los espíritus permanentes de Alejandro, Cleopatra y su estirpe ptoloméica, Marco Antonio, Alí y tantos otros, siguen saludando cada nuevo amanecer, por toda la eternidad, en espera de un sueño renovado para Alejandría.

En definitiva usted, viajero sensible y reciente, habrá absorbido ya, a través del doloroso paseo que le propuse, todas las sensaciones de todos los mundos que dominaron el charco mediterráneo y que permanecen presentes en el talante de la ciudad.

Y de vuelta, si permanece atento cuando el sol descienda dejando a contraluz el Kait Bey, desde el otro extremo de la Corniche, en el antiguo emplazamiento de aquel Faro que iluminó el Mediterráneo entero, verá como le alcanza una mueca de incomprensión, y de penuria, y de tristeza inagotable...

Y no es para menos.

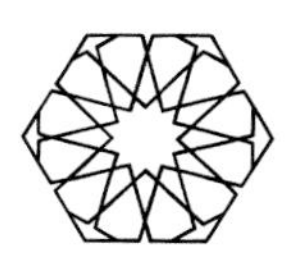

ÍNDICE